Chica confeti

Chica confeti

Diana López

SCHOLASTIC INC.
New York Toronto London Auckland
Sydney Mexico City New Delhi Hong Kong

Originally published in English as *Confetti Girl*
Translated by Ana Galán

ISBN 978-0-545-35791-3

12 11 10 9 8 7 6 5 4 3 2 1   11 12 13 14 15 16/0

Printed in the U.S.A.   40

First Scholastic Spanish printing, September 2011

A mamá y papá

CASCARONES

¿Qué son los cascarones?
Son cáscaras de huevo que se rellenan de confeti y se usan en las fiestas, rompiéndolas en la cabeza de la gente y regando confeti por todas partes para atraer la buena suerte.

Cómo hacer cascarones:

Paso 1:   Compra una docena de huevos.

Paso 2:   Con mucho cuidado, haz un pequeño agujero en el extremo más fino de cada huevo, sin que se rompa, y saca las claras y las yemas.

Paso 3:   Lava las cáscaras de huevo con cuidado.

Paso 4:   Pon en remojo las cáscaras con 1 cucharada de vinagre blanco, ¾ de taza de agua caliente y 4 o 5 gotas de colorante para comida.

Paso 5:   Compra confeti o hazlo tú con revistas o periódicos y una máquina de agujerear papel.

Paso 6:   Una vez que las cáscaras se han secado, mete dentro el confeti.

Paso 7:   Corta círculos de papel de seda y pégalos sobre el agujero.

Paso 8:   Acércate a alguien y, sin que te vea, ¡rómpele el huevo en la cabeza!

Un huevo de 27 libras

Hay gente que colecciona monedas o estampillas, pero yo colecciono medias. Tengo un aparador con gavetas marcadas con unas etiquetas que dicen: MEDIAS DE DIARIO, MEDIAS SOLITARIAS y MEDIAS CELESTIALES.

La gaveta de las medias de diario me ayuda a vestirme todas las mañanas. Cuando me aburro, la reorganizo. Clasifico las medias dependiendo de sus estilos: elegantes, informales o deportivas. Después por su longitud: las que me quedan por el tobillo, las que llegan a media pierna o hasta la rodilla.

En la gaveta de las medias solitarias meto las que han perdido su pareja. Casi todas las parejas desaparecen en la lavadora o la secadora. No me lo puedo explicar. En algún momento mientras dan vueltas, están en remojo o se están secando, se pierde una. No sé a dónde va. A lo mejor se la llevan los extraterrestres.

Las medias celestiales no son para los ángeles. En realidad tienen agujeros, así que ya no me las pongo. A veces, las convierto en marionetas y otras veces se van al cielo de las medias para que descansen en paz junto con las que ya no me sirven.

Pero lo que más me gusta es usar las medias con agujeros para hacer experimentos. La gente que piensa que las medias solo sirven para ponértelas en los pies no tiene imaginación. Por ejemplo, las puedes usar para taparte las orejas. Las medias tobilleras son muy buenas como orejeras. Las medias rodilleras son muy útiles si te quieres vestir de conejo o de burro en Halloween. También tengo medias del rock. Hay un montón de esas en una caja de zapatos debajo de mi cama. Las enrollo como una pelota y paso un extremo abierto sobre el rollo. Las medias también sirven como marcalibros, carteras y plumeros. Las posibilidades son infinitas.

Tengo que admitir que dedicar tanta energía a las medias es un poco raro e inmaduro, pero no es nada fácil vivir en una casa donde no hay televisión. La razón por la que no tengo tele es porque mi papá es profesor de literatura en la escuela secundaria, lo que quiere decir que le gusta más leer que ver la tele. Y como se pasa el día leyendo, me puso este nombre tan horrible, Apolonia Flores. Lo de Flores no está tan mal. ¿Pero Apolonia?

—¿Qué clase de nombre es ese? —le pregunto a mi papá.

—Viene del nombre Apolo —contesta—. Apolo era el dios del sol. ¿Ves? Para mí, es una manera de llamarte girasol.

—Preferiría llamarme Girasol Flores. Tiene más sentido, ¿no?

Pero mi papá no me escucha.

—Según los griegos —dice—, el sol era la rueda dorada de un carruaje que Apolo manejaba por el cielo. Apolo también era el dios de la música, la poesía, la medicina y de la visión del futuro.

Cuando mi papá habla, me recuerda a uno de esos profesores que salen en los programas especiales del canal de Disney con el pelo gris, delgados y lentes de moldura metálica. Siempre está interpretando su papel, hasta en casa. Es muy peligroso hacerle preguntas porque lo que a la mayoría de los padres le tomaría cinco minutos contestar, al mío le toma una hora.

Menos mal que mi nombre es demasiado largo, incluso para mi papá. Todo el mundo me llama Lina. Mi papá dice que Lina suena a Leda, la novia de Zeus, el rey de los dioses. Zeus se transformaba en cisne para ir a visitarla, así que ahora tengo el nombre de alguien que era novia de un pájaro.

Tener un papá que es profesor de literatura también quiere decir que en lugar de comedor tenemos biblioteca, y en lugar de dormitorios tenemos bibliotecas, y a la cocina también la podríamos llamar biblioteca, ¡hasta a la despensa!, porque justo al lado de mis galletas y de los chicharrones de papá tenemos libros.

¡Y no están nada ordenados! La bibliotecaria de la escuela sigue el sistema decimal de Dewey, que te ayuda a encontrar los libros fácilmente. Pero en mi casa, mi papá tiene el libro *Aprende a hacer reparaciones* al lado de los *100 mejores poemas de amor* y *Las aves de América del Norte* al lado de *La cocina tex-mex*. Así que si busco un libro sobre gatos, tengo que leer todos los títulos. Eso me puede llevar horas porque mi papá tampoco sigue ningún orden a la hora de apilar los libros. Algunos títulos tienes que leerlos de arriba abajo mientras que otros hay que leerlos de abajo arriba, y los de los libros que están en horizontal se pueden leer al derecho o al revés.

Es muy fácil saber qué libros se usan más. Todos los lomos de los libros de tapa blanda están en mal estado y las cubiertas de los libros de tapa dura, rotas. Las páginas están amarillentas, dobladas, subrayadas, marcadas con colores brillantes o con notas verdes o rosadas. Por lo menos están limpios, lo que es un poco raro. Mi papá suele olvidar quitar el polvo de la mesa de la sala, pero nunca se olvida de quitarles el polvo a los libros. Se para frente a un estante con un trapo, los saca de uno en uno y los limpia. Así se puede pasar horas.

—¿Por qué no los botas? —pregunto.

—Recuerda —dice—, *los libros son los mejores amigos*.

Además de recitar poemas, a mi papá también le gustan los dichos. En realidad no sé muchos, pero sí conozco algunos como *el gato dormido no caza ratón* o *una buena acción enseña más que mil palabras*.

—Además —dice mi papá—, soy bibliófilo. No sé si recuerdas que *biblio* en latín quiere decir libro, y *philo* es la palabra griega para decir amante. Si las pones juntas, ¿qué dice?

—¿Amante de libros?

—Así es.

—¿Entonces yo soy una mediófila? —pregunto.

Un día, intenté contar todos los libros de mi papá, pero solo llegué a 600. Lo volví a intentar otra vez y llegué a 923. Pensé que si lo hacía a lo mejor conseguía que mi papá entrara en el *Libro Guiness de los récords mundiales,* un libro que siempre leo cuando mi papá me lleva en auto a la escuela o a los partidos de voleibol, y en el que aprendí que el vuelo más largo de cañón humano fue de 185 pies. Imagínate, el tipo voló dos tercios de un campo de fútbol. ¡Increíble! También aprendí que el huevo más grande que se ha encontrado pesaba 27 libras. ¡Eso es más de dos pelotas de 10 libras, como las de jugar bolos! Lo puso un pájaro elefante que se extinguió hace mucho tiempo. No sé quién tiene el récord de más libros, pero me enteré que alguien tenía el récord de más libros escritos al revés, y eran 58. ¡Eso sí que es raro!

¿Cómo no voy a leer si vivo en una casa llena de libros? A veces me tropiezo con alguno, lo recojo y, sin darme cuenta, ya lo estoy hojeando.

Tenemos muchos de cuentos de hadas y de poemas, y también libros gordos que mi papá llama épicos. Pero a mí los que más gustan son los que mencionan datos reales. Mi libro preferido es *Anatomía de Gray,* que trata del cuerpo humano. Con mi vocabulario de escuela secundaria no puedo entender todas las palabras, pero los dibujos son geniales, sobre todo las páginas transparentes que muestran las distintas capas del cuerpo: los huesos, el corazón y los pulmones, el estómago y los intestinos y los músculos. Me puedo pasar horas mirando los dibujos.

Sí, la *Anatomía de Gray* es un buen libro. Me enseña cómo funciona el cuerpo. Lo que no dice es cómo deja de funcionar. Créeme, te aseguro que lo he buscado porque quiero entender por qué se murió mi mamá el año pasado. Estaba sana, perfectamente sana, hasta que se cayó, se cortó en una pierna y le entró una infección en la sangre de algo que se llama estafilococos. No entendí ni media palabra, pero desde luego, lo intenté.

Unos meses después del funeral, le pregunté a mi papá.

—¿Qué es una infección de estafilococos?

—Bueno, mija —dijo con su voz de profesor—, *estafilococos* viene del griego estafilos, que significa racimo de uvas.

—Pero eso no tiene ningún sentido —dije—. ¿Me estás diciendo que un racimo de uvas tuvo la culpa de que mamá muriera?

No contestó. Por primera vez, mi papá no tenía una respuesta. Bajó la cabeza y se puso a llorar.

Terapia de huevos

Mi papá empezó a leer mucho más cuando murió mi mamá. A veces cuando sueño con él, veo un cuerpo, un cuello y, en lugar de cabeza, un libro.

—¿Estás bien? —le pregunto asomada a la puerta de su cuarto.

—"Oh, si esta carne demasiado sólida se derritiera" —dice.

A veces no puedo soportar estar en casa y ver a mi papá tan triste. Menos mal que Vanessa vive en la casa de enfrente. Siempre ha sido mi mejor amiga. Jugamos al voleibol, hacemos las tareas juntas y hablamos de moda, el calentamiento del planeta y los chicos. *Betty la fea* es nuestra heroína. Cuando vamos a un restaurante tenemos como norma pedir algo que nunca hayamos probado antes, aunque sean tripas, un plato tex-mex que se hace con intestinos de vaca.

Deberíamos ser gemelas después de todo el tiempo que pasamos juntas, y a lo mejor ya somos gemelas de personalidad. ¿Pero físicamente? Salvo que las dos tenemos los ojos y el pelo marrón, Vanessa y yo nos parecemos tanto como un cisne y un avestruz. Ella es el cisne y yo, el avestruz. Yo soy demasiado alta y flaca y todos los *jeans* me quedan cortos, no importa la talla que sean. Por eso soy mediófila. Tengo que esconder mis tobillos huesudos. Hoy mis medias me recuerdan la espuma blanca de las olas porque son de color *aqua* con lacitos blancos en la parte de arriba.

Vanessa no necesita tropecientasmil medias. Todo le queda genial, nunca demasiado largo o demasiado corto, demasiado apretado o suelto. Y jamás lleva despeinado el cabello. Podría pasarse treinta minutos delante de un ventilador en la velocidad máxima y, aun así, no se le enredaría. Es más, podría vestirse con una bolsa de papel y seguir pareciendo una modelo.

Debería estar celosa, pero no lo estoy. No me importa mi aspecto. Me importan más el voleibol, la geometría y cómo funcionan las máquinas de cortar el césped y las tostadoras. Pero debo admitir que cuando Jason Quintanilla me llamó Papaíto Piernaslargas, me fui al baño a llorar. No porque me importe lo que piense Jason, que da la casualidad que es el chico más popular de la escuela, sino porque me llamó Papaíto Piernaslargas delante de Luis Mendoza, que es alguien que sí me importa. Luis no se rió con el chiste, pero tampoco me defendió. Solo se quedó mirando el reloj de sol que lleva en la muñeca. Me encanta Luis. ¿Cómo no me va a gustar alguien que lleva un reloj de sol en lugar de uno normal? Y, además, sabe leer la hora siempre y cuando no llueva o esté nublado, lo que es casi siempre en Corpus Christi, Texas.

Por supuesto, Vanessa sabe que me gusta Luis, ya que es mi tema de conversación preferido. Y yo sé que a ella le gusta un chico que se llama Carlos.

Decido cruzar la calle para ir a ver a Vanessa, pero cuando veo a su mamá a través de la puerta de tela metálica, camino de puntillas hasta el jardín de atrás.

—Oye, Vanessa —la llamo por la ventana de su habitación.

Está en el teléfono.

—¿Te puedo llamar después? Lina está aquí… sí, te lo prometo… yo también… ya sabes que sí. ¿Lo tengo que decir? —Se tapa la boca con la mano y susurra—: Yo también te quiero—. Después cuelga.

—¿Quién era? —le pregunto mientras sujeta la mosquitera de la ventana para que pueda entrar.

—Mi papá. Has llegado justo a tiempo para librarme de tener que pedirle disculpas a su novia. Por lo visto herí sus sentimientos.

—¿Cómo?

—La llamé Windsor, y después le expliqué lo que significaba.

Si eso es verdad, Vanessa le contó a la novia de su papá que Windsor significa que tiene más carteras y zapatos que cerebro. Es una palabra que nos inventamos Vanessa y yo. La usamos cuando queremos hablar de chicas engreídas que se creen que viven en el Castillo de Windsor.

Vanessa tiene dos almohadones de esos grandes con bolitas, uno azul y otro rojo. Me dejé caer en el azul como si fuera mío y, aunque suene un poco extraño, lo es. En realidad yo no lo compré y Vanessa nunca me lo dio oficialmente, pero el almohadón azul es el mío, es mi pequeño rincón en su cuarto. Igual que cuando ella viene a mi cuarto y se sienta en la litera de arriba.

—¿Por qué estabas en la ventana? —me pregunta Vanessa—. ¿Es que pasa algo en la puerta?

No contesté inmediatamente. ¿Cómo le iba a decir que estaba esquivando a su mamá? Al fin y al cabo, la Sra. Cantu es una mujer encantadora. Me ha enseñado un montón de cosas durante este último año, como lavar la ropa y cocinar, cosas que estaba empezando a aprender con mi mamá. Incluso me compra cosas de chicas cuando va al supermercado, como las almohadillas sanitarias, porque me da pena pedírselas a mi papá. No debería evadir a la Sra. Cantu, pero cada vez que la veo me abraza y me llama pobrecita y me hace sentir como si fuera una niña huérfana.

—No quería molestar a tu mamá —le digo a Vanessa—. Ha estado tan ocupada.

—No me digas nada. ¿Adivina qué cené anoche?

—¿Huevos?

—¿Y qué comí hoy?

—¿Más huevos?

—Así es —dice Vanessa—. ¿Cuántas veces se pueden comer huevos revueltos sin que se te revuelvan los sesos?

En Semana Santa, mucha gente hierve huevos y los pinta de colores con unos tintes que se disuelven en vinagre caliente. Pero en Texas, hacemos cascarones, que son huevos rellenos de confeti. En lugar de cocerlos, les hacemos un agujerito en la parte de arriba a los huevos y les sacamos lo que tienen dentro. Después los lavamos y los teñimos. Cuando están secos, los rellenamos de confeti y les pegamos un círculo de papel de seda para tapar el agujero. El Día de Pascua, por la mañana, salimos a la calle y rompemos los huevos en la cabeza de la gente. Todo se llena de confeti. Es muy divertido.

A todo el mundo le encanta hacer cascarones en Semana Santa, pero la Sra. Cantu los hace durante todo el año. Por eso, la pobre Vanessa vive entre montañas de huevos. Están por todas partes: apilados sobre la mesa de la cocina, encima de la nevera, en el sofá... algunos son azules, anaranjados o rosados y otros todavía son blancos... Al lado de los huevos encuentras círculos de papel de seda y pilas de revistas o periódicos porque a la Sra. Cantu le gusta hacer su propio confeti con una de esas máquinas de hacer agujeros en el papel.

—Si por lo menos los huevos nos ayudaran a jugar mejor voleibol —digo.

Vanessa y yo jugamos voleibol en la escuela, pero nuestro equipo no es muy bueno.

Mi amiga se ríe.

—A lo mejor ganaríamos algún partido.

—Si fuera así, vendría a tu casa a comer huevos todos los días.

—Y yo invitaría a todo el equipo.

—No sé qué es peor —digo—, si leer todo el día como mi papá o hacer cascarones como tu mamá.

—Ella dice que es una terapia. Supongo que le molesta que mi papá tenga novia. Aunque no sé por qué le molesta tanto si ellos se divorciaron hace ya tres años.

—A lo mejor tu mamá pensaba que él volvería.

—Pero ella no quiere que vuelva. Odia a los hombres. Cuando no hace cascarones, se pasa el día viendo telenovelas o películas. Siempre salen historias de hombres malos que son infieles a sus esposas.

—Mi papá no es malo —digo.

—El mío tampoco, pero eso díselo a ella. —Vanessa agarra un almohadón con forma de corazón y lo abraza—. ¿Qué tal está tu papá? —pregunta.

—No lo sé. No es capaz de hablar sin hacer referencia a un libro o decir algún dicho que no tiene ningún sentido.

—No puede ser peor que una mamá que se pasa el día haciendo cascarones. ¡El Día de Pascua fue hace ya cinco meses!

—Por lo menos ella no dice que su carne se va a derretir.

—Por lo menos tú no tienes que comerte la terapia de tu papá.

—¿Qué vamos a hacer? —pregunto—. Mi papá y tu mamá lo están pasando muy mal.

—No te preocupes —dice Vanessa—. Ya se nos ocurrirá algo.

No pongas todos los huevos en el mismo canasto

Nuestra escuela secundaria se llama Baker. Es un edificio de ladrillo que está en un barrio de calles con nombres como Casa Grande, Casa Linda, Casa de Palmas y, la nuestra, Casa de Oro. Cuando empecé a ir a la escuela secundaria estaba un poco nerviosa hasta que me di cuenta de que podía apuntarme en todo tipo de deportes. Durante el recreo en la escuela primaria, siempre era la primera a la que elegían para formar los equipos. Me escogían a mí antes que a la mayoría de los chicos porque era fuerte y rápida. Así que Vanessa y yo nos apuntamos en el equipo de voleibol la primera semana de clases. De momento, jugamos en el equipo B, pero si somos lo suficientemente buenas, el año que viene nos pasarán al A.

Uso mis medias de la suerte los días que tenemos partido. Son unas medias deportivas blancas con un bordado de nuestra mascota, un caballo bronco. Desgraciadamente, para ganar un partido hace falta algo más que unas medias de la suerte.

Luna, la entrenadora, no sabe mucho de voleibol porque en realidad ella es profesora de matemáticas. La única razón por la que nos ayuda es porque los entrenadores de verdad solo quieren trabajar con el equipo de fútbol americano. A veces no soporto a los jugadores de fútbol americano. ¿Sabes por qué? Porque ellos tienen de todo: celebraciones, porristas, resultados de sus partidos en los anuncios de la mañana. Supongo que debe ser así porque el equipo de fútbol americano clasificó para las finales del distrito mientras que nuestro equipo de voleibol ha perdido más de la mitad de los partidos. Eso es lo que pasa cuando tienes una entrenadora que no sabe la diferencia entre un ataque y una defensa.

—Muy bien, chicas —dice la entrenadora Luna en el cuarto de los casilleros—. Sé que el equipo de Hamlin es el primero en el distrito, pero no se dejen intimidar por eso. Perder un partido no significa perderlos todos. Todavía les quedan muchos años en la secundaria y la universidad y una vida entera por delante. Ese es el partido que realmente importa, el partido de la vida. Así que aunque estén perdiendo todos los tiempos…

—Querrá decir los sets —dice alguien.

—Eso, los sets. Aunque pierdan todos los sets, en mi libro seguirán siendo ganadoras.

Nos hace un gesto con el pulgar y nos saca del cuarto.

Todavía tenemos algo de tiempo antes de que comience el partido, así que corremos unas vueltas alrededor del gimnasio, practicamos los saques y hacemos unos ejercicios de prueba. Veo llegar a mi papá durante el calentamiento. Se sienta en las gradas y abre un libro. Luis también está en el gimnasio. Viene a todos los partidos y trabaja en la máquina de las palomitas del consejo de estudiantes. Siempre que lo veo, está poniendo palomitas en unas bolsas de papel o contando el cambio. A lo mejor no es tan guapo como para salir en la portada de una revista, pero a mí me parece muy simpático. Imagínate uno de esos héroes de los libros de mitología griega de mi papá con espejuelitos y el pelo rizado. Ese es Luis.

Llegan al gimnasio unos cuantos jugadores de fútbol americano, entre ellos Jason. Me imagino que terminaron pronto su entrenamiento porque tienen el cabello húmedo de la ducha.

Vanessa mira hacia las gradas para buscar a su mamá o su papá. No hace falta que me diga que está desilusionada al no verlos. Lo sé porque somos íntimas amigas y las íntimas amigas se pueden leer el pensamiento.

Después llegan las chicas de Hamlin.

Parecen caballos de carreras, altas y delgadas. Tienen los brazos musculosos, no huesudos como los míos, y en lugar de respirar, bufan. Parecen más musculosas incluso que los chicos cuando llevan sus hombreras de fútbol.

—Maravillas de la genética —dice Vanessa.

Yo solo puedo asentir admirada. Las "maravillas de la genética" son esas personas tan afortunadas que no tienen que hacer nada para que se les dé bien la música o los deportes. Sencillamente nacen con el ADN correcto.

De pronto, el suelo empieza a temblar cuando entra la entrenadora de Hamlin. Solo hay una manera de describirla: la versión humana de una camioneta monstruo.

—He oído que su entrenadora estuvo en las olimpiadas del 96 —dice Vanessa.

—Increíble —contesto—. Y a nosotras nos toca la maestra de matemáticas.

La entrenadora de Hamlin reúne a su equipo y empiezan a hacer ejercicios de Tae Bo kickboxing. Dan patadas y puñetazos al aire, y nosotras nos preguntamos si será una versión de voleibol de combate que no conocemos.

La entrenadora Luna decide copiar a la profesional. Da un par de palmadas para que nos reunamos.

—Muy bien, chicas —dice—. Es hora de ponerse serias.

Damos saltos, nos tocamos la punta de los pies y hacemos volteretas. Es humillante.

Por fin, el árbitro toca el silbato. Tres minutos para el partido. Nos juntamos y la entrenadora Luna nombra a las chicas que van a empezar y dice:

—Recuerden cuál es el verdadero partido.

Todas ponemos las manos en el centro y decimos nuestro lema:

—¡Uno, dos, tres! ¡Baker Broncos!

Mientras tanto, las chicas de Hamlin también se reúnen. Su entrenadora saca una tablilla y las señala con cara de mal humor. Después ponen las manos en el centro.

—¡Las vamos a machacar! —dice la entrenadora.

—¡Sí! —responden las chicas.

—¡A machacarlas!

—¡Eso!

—¡A devorarlas!

—¡Sí!

Después cantan juntas.

—¡Hamlin! ¡Hamlin! ¡Ganará! ¡Sí!

Si el voleibol fuera un juego mental, ya nos habrían ganado. No nos da mucha gracia sentirnos como el aperitivo de un festín.

Nos colocamos en nuestros sitios, yo cerca de la red porque soy la más alta. Nos agachamos un poquito. Nos quitamos nuestras inseguridades. Nos olvidamos de todo lo que nos dijo la entrenadora Luna sobre las escuelas y los trabajos y el verdadero partido. No nos importa estar en la escuela secundaria. Solo queremos ganar.

"Estamos listas", decimos.

La chica de Hamlin que va a sacar bota la pelota un par de veces, busca nuestro punto débil y ejecuta un hermoso saque que acaba en el suelo con un *bum*. Nosotras nos quedamos ahí, como estatuas, porque su saque fue demasiado rápido y fuerte. Me sorprende que la pelota no haya hecho un cráter en el piso, y siento que estamos ante un grave problema. Solo dos de nosotras sabemos sacar y, la mitad de las veces, la pelota acaba en la red.

Para el segundo saque de Hamlin nos lanzamos hacia la pelota, todas a la vez, y chocamos en el centro como si fuéramos canicas.

—¡La próxima vez, avisa! —dice una de mis compañeras.

El tercer saque viene hacia nosotras de nuevo.

—¡Mía! —dice Vanessa.

Se lanza, se tira al suelo y consigue darle a la pelota a tan solo tres pulgadas de que toque el suelo. La lanza hacia arriba. Otra chica me la pasa y ¡*PAM*! ¡MATE! ¡Justo entre dos chicas de Hamlin! Una jugada perfecta. Nos toca sacar.

La primera que saca de nuestro equipo es Goldie. No es que sea muy atlética, pero sus saques son brutales. De hecho, la llamamos nuestra "arma secreta". Se quita el flequillo de los ojos y ejecuta un saque por debajo que sale flotando hacia arriba y casi choca contra el techo. No sabemos si la pelota va a aterrizar en nuestro campo o en el contrario. Las del otro equipo miran hacia las luces brillantes del techo y la pelota cae a unas pulgadas de la red, ¡en su campo! Intentan llegar, pero es demasiado tarde. Otro punto para nosotras. Como dije, un arma secreta. Siento una cierta alegría al ver a su entrenadora dar un pisotón.

Con el saque de Goldie conseguimos ganar unos puntos, pero como dice el refrán, no debes poner todos los huevos en el mismo canasto porque las chicas de Hamlin aprenden muy rápido. Solo conseguimos engañarlas una vez. Después la pelota vuelve a ser suya.

Por cada punto que conseguimos, ellas marcan tres o cuatro. Es un juego muy rápido. Descansamos durante cinco minutos y cambiamos de campo para el segundo set. Ya no tengo a mi papá ni a Luis detrás, pero no tengo tiempo para buscarlos porque esta vez me toca sacar a mí.

Puedo sacar con efecto, con un poco de suerte.

Sí, puedo, me digo a mí misma. *Querer es poder. Querer es poder.* Esas son las palabras que mi padre me ha metido en la cabeza. Si tengo buenos pensamientos, pasan cosas buenas. A lo mejor no puedo hacer un cráter como las chicas de Hamlin, pero puedo hacer un pequeño socavón. Así que lanzo la pelota y me preparo para darle efecto… y, en efecto, pasa por debajo de la red.

Me siento muy mal y mis compañeras se desaniman. Muy pronto, las chicas de Hamlin van cinco puntos por arriba. Al final ni siquiera somos el aperitivo, somos una mancha de grasa. Así de mal vamos.

Cuando miro hacia mi papá buscando apoyo, no puedo creer lo que veo. ¡Está leyendo! ¡Durante el peor partido de mi vida! ¿Cómo se atreve? Si mi mamá estuviera aquí... en fin... estaría mirando el partido y haría que mi padre también prestara atención. Me entran ganas de gritarle. No me importa quién me oiga. Pero entonces veo a Luis, que me está mirando.

Justo en pleno partido de voleibol, me quedo paralizada. No me puedo alejar de la mirada de Luis porque me sonríe orgulloso. Creo que no sabe nada de voleibol. A lo mejor piensa que es como el minigolf donde gana el que consigue menos puntos. O a lo mejor...

A lo mejor le gusto. Le sonrío de nuevo y lo saludo con la mano. Entonces, ¡*PLAF*! La pelota me da en la cara con la suficiente fuerza como para tumbarme.

El público se empieza a reír cuando Jason dice:

—Mira, Papaíto Piernaslargas, cuanto más altas son, mayor es la caída.

Me señala y se parte de risa. Estoy segura de que Luis también se está riendo. Ahora ya sé por qué se estaba riendo, no se reía porque estaba orgulloso de mí sino porque yo estaba haciendo el ridículo. Y ahora ya sé por qué vienen a vernos los jugadores de fútbol americano, no para darnos apoyo moral sino para reírse.

No lo puedo soportar. Salgo corriendo de la cancha para esconderme en el cuarto de los casilleros.

Unos minutos más tarde entran mis compañeras.

—Hemos perdido —dicen—. Las de Hamlin nos dieron una paliza.

Mi papá nos espera a Vanessa y a mí fuera del gimnasio. Estamos en otoño y los días cada vez son más largos y fríos. Cuando empezamos a caminar, el cielo tiene un color morado grisáceo y ya se ven las primeras estrellas.

No decimos mucho. Me siento humillada por el incidente del pelotazo y Vanessa está triste porque sus padres la dejaron plantada. A mi papá normalmente le gusta la paz y la tranquilidad, pero por algún motivo, esta noche está de lo más conversador.

—Ah —dice con voz somnolienta—, noches como esta me recuerdan el poema de Robert Frost, "Una parada en el bosque en una tarde nevada".

—No está nevando, papá. En Corpus Christi nunca nieva.

—¿Noto cierto tono de mal humor en tu voz?

—¿Y le parece extraño, Sr. Flores? Nos machacaron —dice Vanessa.

—No seas tan dura contigo misma —dice mi papá—. Por lo que he oído, el equipo de Hamlin convierte a todos en carne para gusanos.

—¿Carne para gusanos? —pregunto—. ¿Y eso qué quiere decir?

—Mercurio, antes de morir, dijo: "Me han convertido en carne para gusanos". ¿Lo entiendes? Porque cuando te mueres, te conviertes en la comida para los gusanos.

—Y a mí, ¿qué? —digo—. Ni siquiera sé quién es ese Mercurio.

—Es de *Romeo y Julieta*. Su nombre viene de la palabra "mercurial".

—¿Como el mercurio que hay en los termómetros? —pregunta Vanessa.

—Exactamente. Decir que una persona es mercurial significa que sus emociones cambian continuamente. Son impredecibles, como el tiempo.

Mi papá no descansa ni un minuto, pienso cada vez más enojada. ¿Por qué tiene que convertirlo todo, hasta un partido de voleibol, en una lección de vocabulario?

—¿Sabes qué, papá? No me importan los gusanos ni el mercurio ni los termómetros. Perdimos el partido. Y después me dieron un golpe en la cara. ¿Por qué no defines eso?

—¿Alguien te dio en la cara? —dice, sorprendido y con tono protector.

—No fue alguien. Fue la pelota. Pero tú no lo viste, ¿a que no? Estabas demasiado ocupado leyendo tus estúpidos libros.

—Déjalo tranquilo —me dice Vanessa—. Por lo menos tu papá vino a apoyarnos.

—¿A eso llamas tú apoyar? —Entonces me volteo hacia mi papá y le digo—: Te gusta más la gente de mentira que la de verdad. ¡Más que tu propia hija!

Después de eso, salgo corriendo a casa. Quiero esconderme en mi cuarto y llorar, pero como no tengo llave, me siento encima del capó del auto y espero. Mi papá y Vanessa llegan unos minutos más tarde y veo que mi papá se asegura de que Vanessa entre en su casa y después acepta una docena de cascarones de la Sra. Cantu. Luego cruza la calle. Sé que está ahí, a unos metros, siento su mirada, pero no lo miro.

—La próxima vez no llevaré un libro —dice—. Te lo prometo.

Es su manera de pedir disculpas, pero yo estoy demasiado molesta para aceptarlas. Al cabo de un rato, mi papá abre la puerta, entra y la deja abierta. Yo me quedo esperando. Espero mucho tiempo... hasta que comienzo a sentir frío y sueño. Entonces entro.

Se venden cascarones

A la mañana siguiente, sigo de mal humor por el partido de voleibol, así que cuando me pongo las medias no me doy cuenta de que son de diferentes tonos de azul hasta que toco a la puerta de Vanessa. Mientras espero a que alguien abra, oigo a la Sra. Cantu gritar. Vanessa abre la puerta e ignora a su mamá. Agarra sus cosas, pega un portazo y sale corriendo.

—Espera —digo, y corro para alcanzarla—. ¿Qué te pasa?

—Nada —dice.

—¿Es por el partido de anoche?

—No. A lo mejor. Déjalo, ¿de acuerdo?

Sé que cuando no quiere hablar es mejor no insistir, así que cambio de tema.

—¿Por qué llevas esa bolsa de papas? —pregunto.

—Para la clase de hogar —dice—. La Sra. Rumplestine nos pidió que buscáramos un compañero. Elegí a Carlos. Yo llevo las papas y él lleva las servilletas de tela.

—¿Vas a volver a trabajar con Carlos?

—Sí. ¿Por qué no?

—Vanessa, cada vez que trabajas con Carlos pasa algo raro, y siempre es tu culpa. ¿Te acuerdas el mes pasado lo que sucedió con tu famoso pastel? Toda la escuela se enteró.

Vanessa y Carlos habían hecho un pastel de dos capas para la Sra. Rumplestine. Carlos le dio la vuelta a la primera capa para poner la crema. Después Vanessa volteó la segunda capa con los guantes del horno puestos y armó tremendo reguero. Toda la clase se vino abajo.

—Qué vergüenza pasé —admite—. Carlos debe de pensar que soy tonta. Lo sé por la manera en que me mira.

—Esa manera de mirar se llama estar enamorado.

—No, no lo está —dice, pero sé que en el fondo, ella también sospecha que es verdad.

Hace muchos años que conocemos a Carlos y casi siempre lo habíamos ignorado. Todavía se pone zapatos y camisetas de *basketball* como cuando estaba en tercer grado, pero este verano se puso muy guapo y mucho más interesante, aunque sigue portándose igual que siempre. Lo que pasa es que ahora, como luce tan simpático, sí lo vemos y lo escuchamos cuando habla sobre la NBA o intenta repetir escenas de sus programas favoritos.

—Volvamos a las papas —digo—. ¿Para qué son?

—¿Quién sabe? Supongo que para hacer ensalada de papas, y las servilletas para enseñarnos a doblarlas.

Nos pasamos el resto del camino inventando recetas con papas. Cuando llegamos a la escuela, cada una toma un rumbo diferente. No volveré a ver a Vanessa hasta nuestra clase del tercer periodo, ciencias. Seguro que Corpus Christi es la única ciudad en la que enseñan biología marina en la clase de ciencias. Eso es lo mejor de vivir cerca del mar.

Por suerte, las dos primeras clases pasan volando y, sin darme cuenta, vuelvo a estar con Vanessa.

—¿Sabes qué? —dice—. Luis y yo nos pasamos unas notas durante la clase de historia.

—¿Ah, sí? —intento que no se note, pero estoy celosa. Ella sabe que a mí me gusta. Entonces, ¿por qué me tortura?

—Sobre ti, tonta —dice—. Mira.

Me da un papel doblado y lo abro.

Hola Vanessa. Siento lo del partido de anoche. ¿Está bien Lina?

Más abajo veo la letra de Vanessa.

Sí, gracias por preguntar.

Después veo una carita sonriente con el pelo rizado de Luis y los lentes.

—¿Eso es todo? —pregunto.

—Eso prueba que le importas.

—No. Prueba que vio el momento más humillante de mi vida.

—¡Shhh! —dice, arrancándome la nota—. Ahí viene.

Luis entra y se sienta de lado en el escritorio que tengo delante. Le digo hola y él me saluda con la mano. Le pregunto cómo está y sonríe como para decir que está bien. Eso es todo. La misma rutina de todos los días. No le gusto para nada. Esa nota era de pena, no de amor.

—Muy bien —dice el Sr. Star—. Para el proyecto de este semestre tienen que hacer una presentación que dure de cinco a diez minutos, sobre la costa del Golfo. Como la mayoría de ustedes piensa que en la costa solo hay peces, puse algunos temas interesantes en unas tarjetas.

Mezcla las tarjetas, las pone boca abajo en abanico y va por el salón para que cada uno elija una. A mí me tocan las grullas blancas. A Vanessa, la vida de las plantas en las dunas de arena. A Carlos le tocó la basura en la costa. Le pregunto a Luis cuál le ha tocado. Me muestra la tarjeta: la vida de los animales en las dunas de arena. A otros les tocan las plataformas petroleras, las tortugas marinas, los pelícanos marrones, los huracanes y los percebes.

—Oye, Luis —pregunta Carlos después de clase—. ¿Quieres que nos cambiemos el tema?

—Muy bien —dice Luis.

—¿Oíste eso? —susurra Vanessa—. Parece que Carlos también quiere trabajar en las dunas de arena. Supongo que vamos a hacer dos proyectos juntos.

Después de ciencias, Vanessa y yo vamos a la clase de literatura. A la Sra. Huerta le gusta que sus estudiantes se sienten en orden alfabético, así que no nos podemos sentar juntas. Últimamente me entra mucho sueño en la clase de literatura. El cuarto periodo es la hora más aburrida del día.

Casi al final de la clase, la Sra. Huerta dice:

—Vamos a empezar un nuevo libro, *La colina de Watership*. —Reparte copias de un libro con un dibujo de un conejo en la portada—. Lean los primeros cuatro capítulos esta noche —dice mientras salimos del salón.

Las clases de la tarde las paso prácticamente durmiendo. Pronto suena el timbre. Las risas y los portazos en los casilleros resuenan por los pasillos. En diez minutos el edificio se queda vacío, solo quedan los "Hollywoods" de la escuela, las estrellas del Show de Baker. Todas las escuelas las tienen. Son los estudiantes que asisten a las actividades extraescolares o llegan al cuadro de honor o se portan como los payasos de la clase. Todos los demás estudiantes son "extras de Hollywood", sin nombre, ni cara, solo un sonido de fondo, babosas de sofá en sus casas.

La Dra. Rodríguez, la directora, les ha pedido a todos los encargados de los clubes que ayuden a planear el carnaval de Halloween, así que me dirijo a la cafetería. Vanessa y yo somos las capitanas de los deportes femeninos. Les ofrecieron el puesto a otras chicas mayores que nosotras, pero nadie lo quiso aceptar. Y supongo que pasó lo mismo con los chicos, ya que Jason es el capitán de los deportes masculinos.

Al entrar, veo un par de Windsors del equipo de porristas y a todos los chicos inteligentes de las clases de honores o "cabezas de huevo".

Me siento lo más lejos posible de Jason, pero él me ve de todas formas.

—¿Y bien? ¿Qué se siente al rematar la pelota con la cara? —dice.

Todo el mundo se ríe y yo me hundo en la silla, pero soy demasiado alta para esconderme.

A los pocos segundos entra Luis, que es el tesorero del consejo de estudiantes, mira alrededor y se sienta a mi lado. ¿Amor o conveniencia?

Cuando entra Vanessa, todos empiezan a reírse otra vez. ¡Su bolsa de papas lleva un pañal!

—¡Un bebé igualito a su mamá! —dice Jason.

Afortunadamente, otros estudiantes, incluyendo un chico, también aparecen con bebés de papa.

—¿No te parece ridículo? —dice Vanessa, sentándose enfrente de nosotros—. La Srta. Rumplestine quiere que tratemos el saco de papas como si fuera un bebé. Dice que los bebés suelen pesar unas ocho libras. No parece mucho, pero intenta cargarlo durante una hora.

—¿Y Carlos es el padre? —me burlo.

Vanessa se sonroja y asiente.

—¿Es u-u-un varón o una hembra? —pregunta Luis.

Como normalmente es tan callado, se me olvida que a veces se queda atascado en alguna sílaba. Bueno, casi siempre. Una vez que consigue decir la parte que le cuesta, el resto de las palabras le salen rápido, demasiado rápido. Por eso le da vergüenza hablar, sobre todo cuando hay abusones cerca. Pero a Vanessa y a mí y a otras personas inteligentes no nos importa.

—Una hembra —dice Vanessa—. Se llama Duquesa.

—¿Duquesa? —No puedo evitar reírme—. ¿Y Carlos sabe que su "hija" se llama igual que el perro que tuviste?

Luis suelta una risita.

—No —dice Vanessa—. Todo lo que sabe es que su hija es de la nobleza.

La Dra. Rodríguez llega y empieza la reunión. Me cae bien. Es alta como yo y a la hora de poner disciplina no se pone con tonterías. La Srta. Luna debería aprender.

—Tenemos que organizar los puestos para el carnaval —dice la Dra. Rodríguez—. Les daré unos minutos para pensar. Después haremos una lista. Si hay dos grupos que quieren tener el mismo puesto, lanzaremos una moneda al aire para ver cuál se lo queda. Nada de puestos de comida, por favor. Solo pueden vender refrescos los maestros porque tienen un certificado que les permite manipular comida. ¿Alguna pregunta?

Mientras ella contesta las preguntas, Vanessa y yo hacemos una lista de nuestros puestos preferidos: la cárcel, el tiro de anillas a la botella de refresco y el puesto de pintar caras. Pero a la hora de compartir con el resto, descubrimos que todos los que queremos ya han sido elegidos. Para colmo, siempre perdemos al tirar la moneda. Hoy tenía que haberme puesto mis medias de la suerte.

—¿Qué vamos a hacer? —digo—. No se me ocurre ninguna otra idea.

Cada vez que Vanessa tiene que resolver un problema, mira hacia arriba y se toca la barbilla. Cuando yo miro hacia arriba, lo único que veo es el techo o el cielo, pero cuando Vanessa mira, siempre ve respuestas.

Al cabo de un segundo o dos, levanta la mano para llamar la atención de la Dra. Rodríguez.

—El grupo de deportes de chicas —anuncia— venderá cascarones. Docenas y docenas de cascarones.

La Dra. Rodríguez levanta una ceja con curiosidad y escribe "Puesto de cascarones" al lado de nuestros nombres.

—Qué gran idea —le digo a Vanessa.

—Así matamos dos pájaros de un tiro: recaudamos dinero y nos deshacemos de todos esos huevos.

—Perfecto.

Me pone la mano en el hombro para consolarme.

—No te preocupes, Lina. La próxima vez venderemos libros.

Otro plan genial. ¡Qué bueno es tener una amiga con cerebro!

El vinagre apesta toda la casa

—¿Puedes cargar a Duquesa un rato? —me pregunta Vanessa de camino a casa.

Me pasa a su "bebé" y lo sujeto por la parte de arriba de la bolsa.

—¡Así no! —dice—. La estás cargando por el pelo. A lo mejor le has dislocado el cuello o algo así.

—Vanessa, es un saco de papas.

—Ese saco de papas es mi proyecto para la clase de hogar y pienso sacar una A. —Me quita el "bebé" delicadamente—. Ahora pon los brazos como si fueras a acunarlo —dice.

Pongo los brazos como me dice y me pone el bebé encima con mucho cuidado. La bolsa está llena de bultos, y como es una especie de red y tiene agujeros, me mancho los brazos de tierra.

—Tu bebé necesita un baño —me burlo, pero ella me ignora.

Llegamos a su casa y entramos por la puerta de la cocina.

—Soy yo —le dice Vanessa a su mamá, que está en el otro cuarto.

Después corre al baño, y aprovecho para esconder las papas en la nevera. Cuando regresa, busca por toda la cocina y me suplica que le diga dónde está.

—¡Lina! —me regaña cuando por fin encuentra a Duquesa—. Los bebés se mueren con el frío. —Agarra el saco y lo sujeta contra su pecho para calentarlo—. Espera a que ponga las manos en tu próximo proyecto.

Vanessa solo se hace la enojada. En cuanto pueda, pienso raptar a su bebé y enviarle una nota pidiéndole dinero por el rescate. A lo mejor hasta pongo una papa frita en el sobre, como hacen los que raptan de verdad, que ponen dedos de la víctima para demostrar que lo dicen en serio.

—Vamos a contarle a mi mamá lo del carnaval —dice Vanessa.

Envuelve al bebé en una toalla y lo pone con mucho cuidado encima de la mesa. Supongo que Duquesa está dormida. Por lo visto, dejar un bebé encima de la mesa de la cocina no es tan grave como sujetarlo por el pelo. Luego, vamos a la sala donde está su mamá viendo la tele.

La Sra. Cantu siempre llega a casa antes que nosotras. Antes era de esas mamás que se quedan siempre en casa, pero después del divorcio se convirtió en la reina de los empleos extraños. Trabaja a medio tiempo de asistente de oficina en la escuela superior de Ray, que es donde da clases mi papá. También vende productos de Avon. Y dos o tres veces al mes, la gente alquila sus decoraciones y la contratan para organizar bodas o quinceañeras.

Como tiene ese negocio de decoración, su garaje está lleno de candelabros, jarrones, manteles y un arco gigante en forma de corazón. También tiene una jaula enorme para sus palomas, Romeo y Julieta, que cuando no están arrullando en una boda, pasan el tiempo en una jaula más pequeña en la sala.

La Sra. Cantu no hace grandes esfuerzos con su negocio de decoración. Dice que se le rompe el corazón al ver esas novias y novios y saber que el cincuenta por ciento de los matrimonios acaban en divorcio. El único motivo por el que la contratan es porque no cobra mucho, y ese también es el motivo por el que nunca la contratan para decorar sitios elegantes como el Centro de Convenciones Selena, donde se celebran los verdaderos bailes. Casi todas las bodas y quinceañeras que decora son en la Casa de Hielo de Tito, en la Sala de Bailes Milagros o en el viejo granero de la calle Robstown.

—Hola, mamá —dice Vanessa.

—Hola, mija. —La Sra. Cantu me ve en la puerta de la cocina—. Ay, Lina, no seas tan tímida. Ven aquí. —Da unos golpecitos en el sofá y me siento obedientemente a su lado—. Pobrecita, Lina, que está creciendo sin una mamá. Y era tan buena mujer. Mi mejor amiga.

Me abraza y me da golpes en la espalda como si yo fuera un bebé y me estuviera sacando los gases.

—Ya está bien, mamá —dice Vanessa—. La estás agobiando.

La Sra. Cantu me suelta.

—No lo puedo evitar —dice, casi llorando—. No puedo soportar las tragedias de la vida real. Y tu padre es tan buen hombre, Lina. No se merece esto.

Quiero decirle que mi padre no es tan bueno como piensa, que puede ser egoísta como cualquier otro hombre y que prefiere leer libros a prestar atención a su pobre hija huérfana.

—Vamos, chicas, ayúdenme a hacer cascarones —dice la Sra. Cantu cambiando el tema.

Vanessa y yo nos sentamos alrededor de la mesa de la sala. La Sra. Cantu ya ha teñido los huevos de amarillo, rosado y rojo. También ha pintado rayas o flores en las cáscaras. Toda la casa huele a vinagre. Mientras Vanessa recorta los círculos de papel, yo agarro un poco de confeti y lo meto en un huevo. Después se lo paso a la Sra. Cantu para que pegue el papel encima del agujero.

—¿Qué estás viendo? —pregunta Vanessa.

—Una telenovela.

—¿De qué trata?

—Es de una mujer que se enamora de un hombre. Él la quiere mucho y todo va muy bien hasta que ella descubre que está casado. Ahora él está intentando convencerla de que sea su amante. ¿Lo puedes creer? Y la muy tonta va a acceder.

—¿No viste eso la semana pasada? —pregunta Vanessa.

—No.

—Sí, lo viste.

—No, no, eso era *Dos amores, una vida*.

—¿Dos amores y una vida? —pregunto.

—Sí, era una historia completamente diferente. En esa, el hombre amaba a dos mujeres, las amaba de verdad y no podía elegir a una, así que una de ellas decide tomar cartas en el asunto y mata a su rival.

—¿Y él se casa con la asesina? —pregunta Vanessa.

—¿Quién sabe? Todavía no ha terminado. Le quedan dos semanas. Pero supongo que se va a enamorar de la hermana de ella. Así son los hombres. Piensan que "para siempre" quiere decir tres semanas. Si no, mira a tu padre.

La Sra. Cantu siempre critica a su ex marido. Vanessa baja los hombros, así que cambio el tema.

—¿Usted decoró esa blusa? —pregunto.

La Sra. Cantu lleva una blusa con flores bordadas y botones en el centro. Todas sus blusas están decoradas a mano. Ese es su estilo. Pantalones con tiras elásticas por debajo del pie y tenis. Siempre usa tenis o sandalias y camisetas muy grandes que adorna con calcomanías de esas que se planchan encima o con pintura para tela, lentejuelas, botones, encajes o lazos.

—¿Te gusta? —dice estirando la blusa para que la pueda ver mejor.

—Sí. ¿De dónde sacó esos botones?

—¿Estos? —dice, y los señala—. Se los quité a un abrigo de mi ex marido.

—¿El negro? —pregunta Vanessa.

—Sí.

—A papá le encanta ese abrigo. Lo estaba buscando.

—Debería haberlo buscado antes de dejarme.

—Pero eso es cruel, mamá. ¿Cómo puedes destruir su abrigo preferido?

—No lo destruí. Solo le encontré un uso mejor. —La Sra. Cantu se voltea hacia mí—. Los botones son de madera, ¿ves? Son muy fáciles de pintar. Así fue como conseguí que tuvieran estos colores brillantes.

—Si me preguntas a mí —dice Vanessa—, te diría que es una blusa muy fea. Y no lo digo por los bordados, sino por la forma. ¿Por qué usas la talla *XL* cuando deberías usar la *M*? Podrías ponerte ropa muy linda si quisieras.

—Necesito blusas grandes para poder decorarlas mucho —dice la Sra. Cantu.

—Pero tienes muy buena figura. ¿Por qué la escondes? ¿Cómo te van a mirar los hombres apuestos? Sobre todo si te pones medias con sandalias.

—A mí me gustan las medias —digo.

—¿Con sandalias, Lina?

A pesar de lo mucho que me cuesta hablar mal de las medias, tengo que admitir que ponerse medias con sandalias es horroroso.

—Lo que digo es que eres lindísima, mamá. Deberías presumir de tu belleza —agrega Vanessa.

—¿Para qué? —dice la Sra. Cantu, y agarra un marcador morado—. Esto es lo que le contestaré al siguiente hombre que me invite a salir.

La Sra. Cantu se pone a escribir en un huevo. Escribe "sí, claro" en el primer huevo y "ya quisieras" en el segundo. Después escribe "cuando las ranas tengan pelos", "habla con la mano" y "antes comería gusanos". La tinta del marcador se corre y todos los huevos quedan manchados.

—Los estás estropeando —protesta Vanessa.

No decimos ni una palabra más durante un rato. La mujer de la telenovela está haciendo las maletas para dejar a su novio. Bien hecho. No se conforma con ser su amante. Quiere ser la mujer más importante en la vida de su hombre, la protagonista, como diría mi papá. ¿Y por qué no iba a serlo? A mí no me importaría deshacerme del héroe del libro preferido de mi papá y ocupar su lugar.

—Bueno, vamos a hablar de las buenas noticias —dice Vanessa—. En la escuela vamos a tener un carnaval de Halloween y el grupo de deportes de chicas va a tener un puesto.

La Sra. Cantu responde rápidamente.

—¡Ay, no! No pienso ofrecerme para que la gente me tire pasteles a la cara.

—No te estaba pidiendo eso.

—Y tampoco pienso sentarme en el puesto ese donde te mojan.

—Déjame terminar, mamá —dice Vanessa.

La Sra. Cantu la mira con cara de sospecha y asiente.

—Vamos a vender tus cascarones.

Pensé que la Sra. Cantu gritaría y saltaría de emoción, pero ocurre justo lo contrario. Se queda muy callada con la mirada perdida.

—¡Es una idea genial! —suelta por fin—. Podemos utilizar el carnaval para hacer un estudio de mercado. ¿Quién dice que los cascarones solo se pueden vender en

Semana Santa? ¡Deberían ser un producto para todo el año!

—No, mamá —dice Vanessa—. Nos vamos a deshacer de ellos de una vez por todas. Es una vergüenza vivir en una casa que parece una fábrica de confeti y huevos.

—Una fábrica, eso. Otra idea magnífica. —La Sra. Cantu se olvida de nosotras y empieza a hablar sola—. Y puedo usar distintos temas. Colores anaranjados y negros para Halloween. Rojos y verdes para Navidad. Y para el Día de Acción de Gracias... puedo pegar picos en los huevos... ¡o plumas de pavo!

La Sra. Cantu se va a la cocina y sigue pensando en voz alta.

—Y también puedo hacer confeti especial —se dice a sí misma—. Arroz en lugar de papel... para... eso es... ¡cascarones de boda!

—¡Mamá! ¡Mamá!

Pero la Sra. Cantu no la oye.

—¡No lo creo! —dice Vanessa—. Creía que había resuelto un problema, pero he creado otro.

Papas con huevos

Mi mamá siempre tenía algún proyecto para mí después de la escuela. "¿Puedes ayudarme a decorar galletas?", me decía. O "Ve fuera y recoge algunas flores". O "Arréglame las uñas, por favor". Le encantaba pintárselas, pero como no tenía mucha coordinación con la mano izquierda, las uñas de la derecha le quedaban como un libro de colorear de preescolar.

Supongo que esos proyectos en realidad eran tareas, pero siempre me resultaban divertidas. Ahora cuando vuelvo a casa, tengo que barrer, doblar las toallas o limpiar el lavabo del baño. Mi papá me ayuda, pero siempre lo deja todo regado.

Hoy mismo, el aparador de la cocina está lleno de harina, pedazos de papa y servilletas arrugadas. En la olla hay una especie de cosa marrón. Como sigo enojada con él por lo que pasó en el partido de voleibol no quiero hablarle, pero tengo que descubrir qué está tramando.

—¿Qué haces, papá?

—Estoy haciendo la cena. Pensé que te vendría bien un descanso.

Salvo los días de los partidos, preparar la cena es mi responsabilidad. Yo cocino mientras él limpia, eso es lo que habíamos acordado. Y aunque no cocino tan bien como mamá, él nunca protesta.

—¿Qué estás intentando hacer? —pregunto.

—Carne guisada y papas fritas.

—¿Y necesitas una receta para eso?

—¿Lo dices en serio? Necesito una receta hasta para hacer sándwiches con mantequilla de maní.

¿Cómo se puede estar enojado con un hombre que usa un delantal con una rana verde que dice BESA AL COCINERO y medias en las manos para agarrar las ollas?

Hago un poco de sitio en la mesa. La cena está servida. La carne está dura y las papas blandas, pero ¿qué más da? Hago como si todo estuviera delicioso porque así puedo hablarle del carnaval de Halloween. Se ríe a carcajadas cuando le describo el bebé papa de Vanessa y los cascarones creativos de la Sra. Cantu, así que no digo nada cuando me percato de que está sirviendo los frijoles rancheros directamente de la lata y sin calentarlos.

Todo va sobre ruedas, hasta que empieza a preguntarme por la clase de literatura.

—¿Alguna palabra nueva de vocabulario? —dice.

—Supongo. A lo mejor. Súper… súper… súper algo. No me acuerdo.

—¿Era superciliar? —pregunta—. ¿Supeditar? ¿Superfluo?

—No me acuerdo, papá. A lo mejor era superalgo o supernada, quién sabe.

Sus estudiantes siempre le hacen comentarios sarcásticos, así que se le da muy bien ignorarlos.

—Recuerda que súper es un prefijo que significa "por encima y más allá" —dice—. Así que independientemente de la palabra que sea, siempre puedes entenderla si la separas.

—Sí, papá, ya entendí. ¿Te conté que para la siguiente fiesta vamos a vender libros?

—¿Qué más estás haciendo en literatura? —pregunta—. ¿Están leyendo alguna novela?

Suspiro, aburrida, pero no capta la indirecta. Solo espera mi respuesta.

—Sí —digo por fin—. No recuerdo el título, pero tiene un conejo en la portada.

—¿Es *La colina de Watership*? Seguro que es *La colina de Watership*.

—Sí, ese mismo. Pero lo dejé en el casillero. Supongo que no puedo hacer la tarea.

—Claro que sí. Tengo una copia en algún lugar. Déjame buscar.

Se levanta de la mesa para mirar en los estantes y, de pronto, me intereso por la carne dura, las papas blandas y los frijoles fríos. ¿Por qué debería comer cuando mi propio padre ha dejado su comida? Para él no hay nada más importante que sus libros y las palabras de vocabulario. Él puede decir que le importo, pero cuando empieza a buscar un libro, me doy cuenta de que no es así.

Llevo mi plato a la cocina, agarro mi refresco a medio beber y me voy a mi cuarto. Cuando paso a su lado, veo que está arrodillado buscando en los estantes de abajo. Tiene una toalla de papel en la mano y la pasa con mucho cariño por los libros, como si le sacara brillo a un auto de carreras. No oye mis pasos, pero yo sí oigo la última parte de su frase.

—Un viaje épico clásico... —dice, como si estuviera delante de su salón lleno de estudiantes.

No lo puedo soportar. No lo aguanto más. Preferiría las locuras de la mamá de Vanessa.

Más tarde, después de escribir *Amo a Luis* unas trescientas veces, mi papá asoma la cabeza por la puerta de mi cuarto.

—Encontré mi copia de *La colina de Watership* —dice dándome un libro con el lomo pegado con cinta adhesiva en una docena de sitios—. ¿Hasta dónde tienes que leer hoy?

—Los primeros cuatro capítulos —digo.

—Eso es mucho. Más te vale empezar.

—Claro, papá. Ahora mismo me pondré a leer.

Pero no lo hago. En cuanto se va, pongo el libro en la mesita de noche y lo uso de posavasos. El frío de mi refresco hace que se forme un círculo húmedo en la portada.

A la mañana siguiente, Vanessa toca a mi puerta. Lleva a su bebé en brazos.

—¿Ha perdido peso Duquesa? —pregunto.

—¿Es tan evidente?

Asiento.

—¿Qué pasó?

—La cena, eso fue lo que pasó. Adivina qué cene anoche.

—¿Huevos?

—Eso es obvio. ¿Con qué?

—No me lo digas —digo—. ¡Huevos con papas!

41

—Exacto. ¿Te acuerdas que ayer dejé a Duquesa en la mesa de la cocina? Bueno, pues una parte de ella acabó pelada, cortada en trocitos y frita. No me di cuenta de que estaba comiéndome a mi propia hija hasta que iba por la segunda cucharada.

—Eres una caníbal —digo bromeando.

—Es culpa de mi mamá. Como todo en mi vida.

—No culpes a tu mamá cuando tú fuiste la que dejó las papas encima de la mesa. Claro que las iba a usar.

—Supongo que tienes razón —dice Vanessa—. ¿Me puedes prestar unas papas para engordarla?

—Claro —le digo—. No hay problema.

Pero sí es un problema porque cuando miro en la nevera me doy cuenta de que mi papá las usó todas la noche anterior.

—¿Ahora qué hacemos? —grita Vanessa—. No le puedo decir a Carlos que puse a Duquesa en peligro. Seguro que nos dan una F y no vuelve a hablar conmigo.

Normalmente Vanessa mira al techo y se toca la barbilla para contestar. Pero hoy no. Nunca la había visto tan preocupada. Me doy cuenta de que tengo que calmarla antes de que se arranque un mechón de pelo y se quede calva. Le pido que se siente y le doy un vaso de agua. Después salgo al jardín y busco piedras del tamaño de las papas. Hay cuatro cerca de la valla. Las meto entre las papas y conseguimos disimularlas en la bolsa. Duquesa ha quedado como nueva.

—Eres un genio —dice Vanessa—. No sé qué haría sin ti.

Hago una reverencia.

—Tu mejor amiga, a tu servicio.

Sesos de huevos revueltos

La semana siguiente, tenemos el último partido de volei-bol. Nuestro equipo no clasificó para las finales del distrito, pero aún nos queda otro partido y vamos a jugarlo con dignidad.

—Porque a veces se gana, a veces se pierde, pero nunca, jamás, pueden darse por vencidas —nos dice la entrenadora Luna en el cuarto de los casilleros—. Además, la entrenadora del equipo A prometió venir al partido. Quiere reclutar nuevas jugadoras para su equipo.

Diciendo eso, nos manda al gimnasio para el calentamiento. Mi papá ya está ahí. Me saluda con la mano y hace un gesto para que vea que no ha traído ningún libro. Le levanto el pulgar en señal de aprobación. Entonces entra la Sra. Cantu en el gimnasio. Va directo a la cancha, esquivando milagrosamente las pelotas que pasan volando.

—Me puse una blusa especial para tu partido —le dice a Vanessa.

Lleva una camiseta *XL*. En la parte de delante le ha cosido una pelota de voleibol de fieltro muy grande, el número de Vanessa y algunas estrellas. Es horrible, pero un detalle muy tierno.

—Aquí estoy para apoyarte —dice—, pero si aparece tu padre con esa novia que tiene, me voy.

Después de decir eso, hace un gesto con la mano y se va a las gradas. Al ver a mi papá, se sienta a su lado.

La Sra. Cantu y mi papá se llevan más o menos bien. Todas sus conversaciones son sobre Vanessa y sobre mí, y a veces sobre mi mamá. No creo que tengan muchas cosas en común, pero se conocen lo suficiente para llamarse por sus nombres: Irma y Homero.

Esta vez vamos a jugar contra la escuela secundaria Tom Brown. No me da tanto miedo pensar que podemos perder, aunque es una gran posibilidad. Me pone más nerviosa jugar delante de la entrenadora del equipo A porque quiero causarle una buena impresión. A lo mejor me dejan jugar con su equipo cuando termine la temporada. He oído que a veces trabajan con las jugadoras del equipo B que tienen mucho potencial.

Cuando empieza el partido, me lanzo hacia la pelota y me arriesgo a que me den un golpe. Pero marcamos un punto. Tom Brown marca otro. El saque pasa de un equipo al otro. Nunca estamos a más de dos puntos de diferencia. Me esfuerzo todo lo que puedo, para destacarme, porque la entrenadora del equipo A está tomando notas y mi papá está ahí sin un libro. Vanessa también se esfuerza porque hoy su mamá no está haciendo cascarones ni viendo telenovelas. De hecho, estoy tan concentrada en el juego que ni siquiera veo que Luis no está en la máquina de las palomitas. Cuando por fin me doy cuenta, me imagino que está en las gradas y echo un vistazo rápido, pero es imposible encontrarlo porque ha venido mucha gente a ver el partido.

El público nos anima. Llevamos sobre los hombros la esperanza de nuestros amigos, maestros y padres, y no queremos decepcionarlos.

Aunque parezca mentira, ganamos. La entrenadora Luna da saltos, grita y choca los cinco con nosotras.

Después de recoger mis cosas en el casillero, busco a mi papá.

—Lina —dice haciéndome un gesto con la mano—. Justo ahora estaba hablando de ti con la Srta. Hammett.

La Srta. Hammett es la entrenadora del equipo A, una entrenadora de verdad con tenis y pantalones cortos de poliéster.

—Es un placer conocerte —dice—. Le decía a tu papá que deberías jugar en el equipo A y apuntarte al campamento de voleibol este verano.

—¿En serio? —digo sin poder disimular mi emoción.

—Aquí tienes un panfleto —dice la Srta. Hammett—. Tienen un buen campamento en la Universidad de Texas en San Antonio todos los veranos. Te puedes quedar en el dormitorio durante dos semanas y conocer a chicas de todo el estado.

—¿Puedo ir, papá?

—Siempre y cuando mantengas buenas notas.

—Lo haré, te lo prometo —digo—. ¿Me puede dar otro panfleto, Srta. Hammett? Me gustaría darle uno a mi amiga, Vanessa.

—Claro —contesta—. Aquí tienes unos cuantos. Repártelos.

Le damos las gracias y ella se aleja a hablar con la entrenadora de Tom Brown.

—Mira lo que tengo —digo cuando me encuentro a Vanessa y su mamá en el estacionamiento que hay fuera del gimnasio—. Es la información sobre un campamento de voleibol en verano.

Le doy el panfleto a Vanessa.

—Parece muy divertido —dice—. ¿Puedo ir, mamá?

—Solo si tu padre paga la factura. El dinero no crece en los árboles, ¿sabes? Por lo menos no en mis árboles.

A la mañana siguiente, la Dra. Rodríguez anuncia nuestra victoria de voleibol por los altoparlantes. Goldie, que también está en el equipo, y yo estamos en la clase de la Srta. Luna en el primer periodo y la maestra hace que todos nos aplaudan. Me siento realmente como una estrella de Hollywood, hasta que veo que Jason se ha cruzado de brazos en lugar de aplaudir.

—Que hayas ganado un solo partido no quiere decir que estés en las olimpiadas —dice.

—Relájate —digo—. Nadie se mete con el equipo de fútbol americano porque tienen fiestas y animadoras y bolsas de caramelos en los casilleros los días de los partidos.

—Es verdad —añade Goldie—. Esto no puede ser el *Show de Jason a todas horas.*

Me gustan las matemáticas incluso con Jason en el salón. Las respuestas están bien o mal, no hay una zona gris, no hay que inventarse nada. Esta semana aprendimos a calcular la distancia, y la Srta. Luna quiere que escribamos un problema para utilizar la ecuación de "la distancia es igual a la velocidad multiplicada por el tiempo". Decido darle una nota de color a mi problema.

Cuando terminamos de escribir, la Srta. Luna nos pide que compartamos lo que escribimos.

Uno de mis compañeros dice:

—Si un auto azul viaja a once millas por hora durante dos horas, ¿qué distancia recorre?

—Veintidós millas —contestamos todos.

—Si un auto rojo —dice el siguiente— viaja a veinte millas por hora durante tres horas, ¿cuánta distancia recorre?

—Sesenta millas.

—Si un auto verde...

—Qué aburrido —digo—. ¿Es que todos escribieron sobre autos?

—Yo, no —dice Goldie—. Yo escribí sobre una pelota de bolos.

—Entonces oigamos tu problema —dice la Srta. Luna.

—Si una pelota de bolos viaja a diez pies por segundo durante tres segundos, ¿cuántos pies recorre?

—Treinta pies —contestamos todos.

Goldie me cae muy bien, pero su problema de bolos era igual que todos los de autos.

Por fin llega mi turno. Me levanto y me aclaro la garganta.

—Un jugador de fútbol americano llamado Jason se traga tres perritos calientes antes de un partido y, durante el segundo tiempo, le entran unos dolores de barriga tremendos. Corre cuarenta yardas antes de empezar a vomitar, a una velocidad de cinco yardas por segundo. ¿Cuánto tarda en llegar a su zona de vómito?

Todos empiezan a partirse de risa y yo hago una reverencia. Pero a Jason no parece haberle dado ninguna gracia. Cuando termina la clase, "accidentalmente" choca conmigo.

—¿Así que realmente puedes doblar las rodillas al revés? —dice.

—¿Y eso qué quiere decir?

—¡Cuac! ¡Cuac! —dice animando a sus amigos a hacer lo mismo.

—¿A ustedes qué les pasa? Actúan como si fueran retrasados.

—¡Cuac! ¡Cuac! —dice de nuevo.

—Creo que se están burlando de tu proyecto de ciencias —dice Goldie.

—¿Qué tendrán que ver las grullas con todo esto?

—Son altas —explica Jason—, ¡ridícula e inútilmente altas!

Él y sus amigos se alejan desternillados de la risa. Cuando llegan al final del pasillo, vuelvo a oír el "¡Cuac! ¡Cuac!". El mes pasado era la araña papaíto piernaslargas; este mes, soy un pájaro, un pájaro ridículamente alto.

—¿Cómo se enteró de mi tema de ciencias? —le pregunto a Goldie—. Ni siquiera está en mi clase.

—No lo sé —contesta.

Me voy al baño molesta y empiezo a destrozar unas cuantas toallas de papel. Sé que hacerlas pedazos no resuelve nada, pero me ayuda a descargar mi rabia.

Cuando llego al salón del Sr. Star veo una gráfica con los nombres y los proyectos. También hay otras gráficas para las otras clases. La clase de Jason está estudiando las familias de animales. Él tiene que hacer un trabajo sobre los leones. ¿Cómo me voy a reír de los leones? ¿Y por qué las grullas blancas tienen que ser tan altas?

—Hola, Vanessa —le digo a mi amiga cuando entra.

Ella me saluda con la mano, pero en lugar de venir hacia mi mesa se va a ver a Carlos. Últimamente habla mucho con él, y a veces ni nota que estoy a su lado.

Por suerte para mí, también llega Luis. Se sienta frente a mí y me aplaude.

—¿Eso a qué se debe? —pregunto.

—P-p-por el partido. Oí el anuncio.

—Ah, gracias —digo. Entonces me doy cuenta de que él no sabía que habíamos ganado hasta esta mañana—. ¿Por qué no fuiste?

—Es que, estaba, ehh, haciendo una prueba para el concierto de Navidad.

—Eso está muy bien —contesto, pensando que sería genial tener un novio que tocara la guitarra eléctrica o la batería—. ¿Qué instrumento tocas?

Él mueve la cabeza.

—¿No tocas ningún instrumento?

Asiente.

—¿Vas a ser de los que se encargan del escenario? —pregunto—. Suena divertido. Puedes diseñar distintos escenarios y mover las luces y controlar el telón.

Vuelve a mover la cabeza. Está a punto de hablar, pero no deja de tartamudear.

—¿No pasaste la prueba? —pregunto—. Pues si quieres saber mi opinión, no saben lo que se pierden. Como dije antes, serías muy bueno diseñando escenarios. Hay que ser un verdadero artista para eso.

Se mira los pies. Se le resbalan los lentes por la nariz. Sus rizos le tapan la cara.

—¿Qué pasa? —pregunto.

—No lo entiendes.

Ahora parece enojado, lo suficientemente enojado para olvidarse de tartamudear. Me mira, mueve la cabeza y se da la vuelta. Tiene razón. No lo entiendo. ¿Qué hice mal?

Suena el timbre.

—Vanessa, Carlos, vayan a sus asientos —ordena el Sr. Star.

Oigo a Vanessa sentarse detrás de mí. Debería decirle algo por lo de Carlos, pero estoy demasiado preocupada por Luis. Saco una hoja de papel y escribo una nota.

¿Para qué hiciste la prueba?, pregunto. La doblo en forma de pelota de fútbol americano y espero a que el Sr. Star se dé la vuelta para pasársela.

Luis la desdobla lentamente. Entonces se echa hacia delante para leerla. Pasa mucho tiempo hasta volverla a doblar. La sujeta en la mano, con el puño cerrado. Después de un rato muy largo, la vuelve a abrir y escribe algo. Su lápiz hace mucho ruido. Me imagino que está rayando el escritorio. Vuelve a doblarla y la tira por encima del hombro. Me da en la barbilla y cae en mis piernas.

La abro sin saber qué esperar y ahí está mi respuesta, en mayúsculas y con muchos signos de exclamación.

¡¡¡¡¡¡HICE UNA PRUEBA PARA EL CORO, TONTA!!!!!!

A veces en lugar de sesos tengo huevos revueltos.

Guerra de cascarones

Es Halloween y estoy loca por mostrarle mi disfraz a Vanessa. Nunca compramos disfraces baratos de poliéster, ni nos gastamos un montón de dinero en alquilarlos en esas tiendas donde los disfraces son tan buenos que se podrían usar en una película de Harry Potter, o incluso se los podrían poner los marcianos de verdad. No, Vanessa y yo creemos en los disfraces caseros. Así que me pongo mis pantalones deportivos rojos y pantuflas con medias rojas. Escondo mi cabello en un gorro de lana rojo. Me pinto la cara de rojo y me pongo una enredadera de plástico roja sobre los hombros. También llevo un afiche con unos dibujos de peces que tienen unas X negras encima de los ojos y unas tumbas que dicen F.E.P. por "Floten en paz". Mi mamá habría estado orgullosa. Me diría que el disfraz es perfecto, que me sienta bien y que a ninguna otra persona se le hubiera ocurrido una idea tan genial. También hubiera adivinado sin problemas de qué voy disfrazada. Pero mi papá no tiene ni idea.

—¿Qué eres? —pregunta—. No, no, déjame adivinar.

Me doy media vuelta y vuelvo a girarme. No puedo creer que tarde tanto.

—Ah, ya lo tengo —dice—. Eres un pez demonio.

Su ignorancia me deja sin palabras. Estoy a punto de contarle mi verdadera identidad cuando suena el teléfono.

—Ya estamos listas —dice Vanessa.

Mi papá y yo cruzamos la calle. En cuanto Vanessa me ve, dice:

—Qué disfraz más genial, Lina. Eres la versión satánica de Nemo.

No lo puedo creer. Ni siquiera Vanessa se da cuenta... ¡y eso que está en mi clase de ciencias!

La Sra. Cantu sale a la puerta. Lleva una camiseta negra con una calabaza sonriente enorme. Se da media vuelta. En la parte de atrás, la cara de la calabaza es horrible.

En cuanto deja de modelar, me señala con el dedo.

—Ahora te toca a ti, Lina.

Me doy la vuelta.

Al principio parece un poco confundida, pero después le brillan los ojos.

—¡Qué chula! —dice.

—¡Mamá! —dice Vanessa—. Lina no quiere estar bonita, al contrario, intenta tener un aspecto siniestro y malvado. Es un pez demonio. ¿No lo ves?

—¿Pez demonio?

—Claro, ¿qué pensabas que era?

¿Será posible? ¿Será posible que la Sra. Cantu sea la única que entiende mi disfraz? ¿La única que me entiende realmente?

—Pensé que iba de salsa de camarones —dice.

—¡¿Salsa de camarones?!

Soltamos una carcajada. Todos a la vez. Me rindo. Nadie adivinará jamás de qué se trata mi disfraz.

Cuando se nos pasa la risa, cargamos la camioneta con cajas y cajas de cascarones para el carnaval de Halloween. La Sra. Cantu hizo unos huevos especiales para la ocasión. Con una crayola blanca dibujó diferentes caras de calabazas en las cáscaras. Después las tiñó de anaranjado. La cera de las crayolas hace que el tinte no se pegue, así que los huevos parecen cabezas de calabaza en miniatura.

De vez en cuando, Vanessa se detiene para acomodarse el relleno de su disfraz. Va vestida de espantapájaros. Lleva una de las camisas de franela de su papá y unos jeans rotos. En lugar de paja utilizó hojas de maíz de esas que se usan para hervir los tamales. Le salen por el cuello y las mangas y entre los botones de la camisa. También pegó algunas por dentro de un sombrero vaquero. Creo que consiguió bastante bien que su pelo pareciera de paja.

El carnaval se hace en la cafetería y el patio de la escuela. Goldie y otras chicas que practican deportes y que van a trabajar en el puesto lo decoraron con guirnaldas y recortes de calabazas, gatos negros, brujas y fantasmas. Hay un cartel que dice: CASCARONES: 20 CENTAVOS CADA UNO O $1.50 UNA DOCENA. Mi papá y la Sra.

Cantu son los adultos que nos van a ayudar, así que se quedarán en el puesto toda la noche, pero las chicas nos turnaremos. A Vanessa y a mí nos toca el primer turno.

Unas cuantas personas pasan por el puesto, miran los cascarones y se alejan.

—No sé —dice Vanessa—. A lo mejor fue una mala idea.

—¿Qué es lo que te preocupa, no ganar dinero o tener que llevar los huevos de vuelta a tu casa?

—No ganar dinero y llevar los huevos de vuelta —dice.

Por fin alguien se detiene delante del puesto, Sum Wong, a quien le gusta que lo llamen Sammy. Conozco a Sammy desde cuarto grado.

—Me gusta tu disfraz de pez demonio —dice.

—No soy...

—¿Qué son estos huevos? —interrumpe—. ¿Algo latino?

—Sí —dice Vanessa—. Se supone que te tienes que acercar a alguien por detrás y rompérselo en la cabeza. Entonces sale el confeti. Es muy divertido.

—¿De verdad?

Levanta una ceja interesado y se mete la mano en el bolsillo para sacar dinero. Se pasa un montón de rato mirando los huevos y por fin elige uno con cara pícara. Se acerca a una de las animadoras que está delante del puesto de taquitos y ¡*CRAC*!, le rompe el huevo en la cabeza.

La chica se quita el confeti.

—¡Sammy! —grita y lo persigue—. ¡Deja que te agarre!

La chica se acerca a nuestro puesto, compra un huevo y sale corriendo. A los pocos minutos, Sammy vuelve para comprar una docena más. Antes de que nos demos cuenta, se forma una cola en el puesto. Ahí fuera hay una guerra de cascarones.

—¡Esto es maravilloso! —dice la Sra. Cantu—. Esto prueba mi teoría. ¡Los cascarones son divertidos en cualquier época del año!

Mi turno está a punto de terminar cuando llega un chico de mi clase de historia, Jorge. Está vestido de policía.

—Perdona, Lina —dice—, pero tengo una orden de arresto.

—No puedo ir a la cárcel —digo—. Estaba a punto de salir a disfrutar del carnaval.

—La ley es la ley —dice.

—Vamos —dice Vanessa—. Te sacaré en cuanto acabe aquí.

"Qué rollo", pienso, pero Jorge tiene razón, la ley es la ley. Alguien ha pagado cincuenta centavos para que me metan en la cárcel y otra persona tendrá que pagar otros cincuenta para sacarme.

La cárcel está afuera, en el patio. Tiene unos barrotes delante de la ventana, dos bancos y un guardia vestido de mariachi. Hay un prisionero, Sammy Wong.

—Parece que las porristas se cansaron de tener confeti en el cabello —explica.

Me siento a esperar a Vanessa. Pasan cinco minutos y nada. Diez minutos y nada. ¿Dónde está? ¿No se supone que las amigas se tienen que ayudar unas a otras? Cuando uno de los amigos de Sammy paga la fianza para sacarlo de la cárcel, me empiezo a impacientar.

—Muy bien, Lina —dice Jorge—. Ya puedes irte. Ese chico pagó tu fianza.

Señala hacia el otro lado del patio donde está Luis apoyado en un árbol. Lleva una piñata de Superman sin cabeza y tiene puesta una camiseta de color verde neón con una letra K amarilla muy grande.

Me pongo un poco nerviosa al acercarme porque no hemos hablado desde el malentendido de la prueba para el concierto de Navidad. Todos los días en clase de ciencias pienso decirle algo, pero no me atrevo. Seguramente me odia.

—O tienes muy mala memoria o un corazón que perdona todo —digo.

—¿Por qué?

—Porque no merezco salir de la cárcel.

—C-c-cuidado, cualquier cosa que digas puede ser usada en tu contra.

—Muy bien, pues considera esto como una confesión en regla. La semana pasada no quise herir tus sentimientos. De verdad. Ni siquiera me importa que tartamudees.

Sonríe. Una sonrisa muy grande. Creo que me ha perdonado.

—Perdona —dice Jorge—, pero tengo otra orden de arresto, Lina.

—Pero si acabo de salir.

—Ya, pero…

—No me lo digas, la ley es la ley.

Me vuelve a llevar a la cárcel, pero esta vez en cuanto entro, Luis me vuelve a sacar. Cinco minutos más tarde, regresa Jorge con una orden de arresto también para Luis.

—Debes de ser muy, muy mala —dice Luis.

—¿Quién me está haciendo esto? No me puedo pasar toda la noche aquí.

Como si quisiera responder mi pregunta, Jason asoma la cabeza entre los barrotes de la cárcel. Va vestido del Rey Misterio, un luchador mexicano muy famoso que lleva una capa y una máscara de un águila calva.

—¡Intenta salir ahora! —dice mientras se aleja.

—¡Eres un idiota! —le grito. Después me volteo hacia Luis—. No te preocupes, Vanessa nos sacará pronto.

—Está bien —dice.

Nos sentamos en silencio y esperamos. Mientras tanto arrestan a unos chicos vestidos de soldados. Llevan todo el uniforme menos las pistolas. Al mariachi lo han reemplazado por un guardia real del Palacio de Buckingham, que lleva un abrigo rojo, pantalones blancos, botas negras y un sombrero alto y peludo. Al igual que Jorge, el guardia está en mi clase de historia donde vimos el mes pasado una película sobre los guardias del palacio. Los soldados intentan convencerlo de que los deje en libertad, pero él se toma su código de silencio muy en serio.

—Están hablando con una estatua —les digo—. Ni pierdan el tiempo.

—No recibimos órdenes de un pez demonio —dicen.

—N-n-no es un pez demonio —dice Luis—. Es una marea roja.

¡No lo puedo creer! Por fin alguien entiende mi disfraz. El mes pasado, el Sr. Star nos contó que las mareas rojas están llenas de algas que viajan por la Corriente del

Golfo y matan a un montón de peces. Por eso llevo el afiche con los peces muertos y las tumbas que dicen F.E.P.

—Lo que tú digas, niño piñata —dice un soldado.

—No es un niño piñata —le contesto—. Es kriptonita.

—¿Ah, sí? —dicen.

—Eres el primero en adivinar mi disfraz —le digo a Luis.

—Y t-tú eres la primera en adivinar el mío —dice.

—¿Entonces me perdonas por lo del concierto de Navidad?

—Ummm. —Se hace el que está pensando—. Creo que te voy a recomendar para la libertad condicional.

Por fin veo que Vanessa se acerca.

—Oye —la llamo entre los barrotes.

Se voltea y abre los ojos como platos al darse cuenta de que sigo en la cárcel.

—Debes odiarme. Me olvidé completamente de ti —dice, y paga rápidamente la fianza de Luis y la mía.

—Ha debido de pasar una hora —protesto.

—Perdooooooona. Te prometo que te recompensaré.

Estoy a punto de preguntarle dónde estaba cuando veo a Carlos detrás de ella. Lleva una lata grande de café en la que ha pegado un corazón de papel.

—Hola, Lina —dice—. Soy el hombre lata.

Le da un golpecito a la lata y me muestra que está vacía.

—Mira qué simpáticos —le digo a Vanessa—. Tú eres el espantapájaros y él es el hombre lata del *Mago de Oz*.

No puedo creer que no me dijeras que se habían puesto de acuerdo. ¿Qué otras cosas no me has contado?

—Fue idea de Carlos —dice Vanessa—. ¿A que tiene muy buena imaginación?

—Seguro que tu mamá pensaría lo mismo.

—¿Mi mamá? —Me agarra del brazo y me lleva a un lado—. Oye, no le puedes decir a mi mamá que he estado viendo a Carlos. Ya sabes lo que opina de los novios. Si pudiera, me mandaría a un colegio de chicas. Odia a los hombres.

Me siento tentada de contarle el chisme a la Sra. Cantu, después de que Vanessa me hizo pasar una hora en la cárcel. Pero ella es mi mejor amiga y las mejores amigas tienen que ayudarse unas a otras, aunque a una se le "olvide" mencionar que había planeado disfrazarse con un chico. Miro por encima de su hombro. Carlos mete la mano por el cuello del Superman decapitado de Luis y saca un chicle.

—Muy bien —digo—. No le diré nada a tu mamá sobre Carlos, pero tienes que quedarte en el patio para que no te vea. Quedamos aquí en cuarenta y cinco minutos para volver juntas a la cafetería.

—Eres buenísima con las misiones secretas —dice, dándome un abrazo de agradecimiento antes de desaparecer con el hombre lata.

—Me parece que me ha dejado por Carlos —le explico a Luis.

Me hace un gesto como quitándole importancia al asunto y después señala al puesto de tiro libre. Luis paga dos pesos, compra cinco tiros libres y gana un collar que brilla en la oscuridad y me lo regala. Después comemos patas de pavo y buñuelos. Más adelante intentamos hacer que el Sr. Star se caiga en el puesto de caída libre. Cada vez que vemos a Jason nos escondemos y esperamos que se olvide de que existimos. Afortunadamente lo conseguimos.

Los cuarenta y cinco minutos pasan volando. Cuando Vanessa y yo regresamos a la cafetería, mi papá y la Sra. Cantu están quitando las decoraciones de Halloween.

—¡Los vendimos todos! —anuncia la Sra. Cantu.

Se nota porque el suelo está lleno de confeti.

—Creo que deberíamos celebrarlo —dice mi papá—. Vamos a cenar a algún sitio.

Vanessa y yo empezamos a dar saltitos como niños en una tienda de caramelos.

—¿Podemos ir a Snoopy's? —preguntamos.

Mi papá frunce el ceño. Me pregunto qué tiene de malo Snoopy's, pero después recuerdo lo lejos que está.

—Por supuesto —dice la Sra. Cantu—. Yo manejo. ¿Qué te parece, Homero?

Mi papá accede, pero no parece muy entusiasmado. Más bien lo hace como para no estropear la fiesta.

Nos metemos en la camioneta de la Sra. Cantu. Tiene una de esas con una cabina grande. Vanessa se sienta delante con su mamá y mi papá y yo nos apretujamos atrás. En cuanto entramos en la carretera, mi papá me pregunta por *La colina de Watership*. Quiere saber qué está haciendo el conejo.

—¿Ya ha conocido a esos conejitos complacientes?

—Sí —digo, a pesar de no saber qué quiere decir complaciente.

Eso es suficiente para que empiece a echarme otro sermón. ¿Es que no sabe que tengo otras clases? Le agradezco que nos haya ayudado en el carnaval y le agradezco mucho que vayamos a Snoopy's, pero ahora estoy disfrutando de mi tiempo libre, mi rato para hablar de cualquier cosas menos de la escuela. Mi mamá no habría hecho eso. Ella se habría pintado las uñas de negro y anaranjado y en lugar de hablar de la tarea, me habría preguntado a qué jugué, qué comí y qué disfraces vi.

Ignoro a mi papá, y cuando se da cuenta, deja de hablar. Solo oímos a la Sra. Cantu presumir de sus cascarones.

—A lo mejor debería poner un puesto en el mercado de pulgas —dice—. Lo puedo llamar el *Rincón del Cascarón*.

Llegamos a la parte de la carretera en la que no hay nada salvo el océano a ambos lados. Me encanta vivir cerca del mar. He visto fotos de montañas y bosques y cañones, y se nota que son muy lindos, pero no transmiten el mensaje de ser "para siempre" como lo hace el mar, sobre todo en una noche en la que el agua y el cielo negro se funden y me hacen sentir como si estuviera en el infinito. Hoy hay luna llena y su luz se refleja en el mar como si fuera una carretera que brilla en la oscuridad. Después de ver a Vanessa y a Carlos vestidos de espantapájaros y hombre lata, la luz me recuerda a la canción del *Mago de Oz,* "Más allá del arco iris", una canción que habla de viajar a otra tierra. Eso es lo que siento al ver la luz de la luna. Quiero caminar sobre el arco iris y ver hasta dónde me lleva. ¿Me llevaría a ver a mi mamá?

Por fin llegamos al puente y justo debajo de nosotros está Snoopy's.

Snoopy's es un lugar increíble, al lado del agua. Tiene dos estacionamientos, uno para los autos y otro para los barcos. Dentro hay una chimenea enorme en medio del comedor. Hay un muelle en la parte de atrás para los que quieran sentarse fuera. Es un sitio informal, sin meseros, solo un mostrador en el que pides y recoges la comida, una barra con condimentos y muchos gatos y gaviotas que buscan restos de comida.

Hoy tienen el "Especial del Sur" en el menú: bagre y camarones acompañados de pepinillos fritos. Vanessa y yo pedimos eso, claro. Nunca antes habíamos probado los pepinillos fritos. Vienen en rodajas envueltos en harina de maíz y son agrios y crujientes.

Vanessa y yo no paramos de hablar del carnaval. Estamos tan entusiasmadas que apenas nos damos cuenta de lo callados que están mi papá y su mamá hasta que ya no tenemos nada más que decir. Ahora que lo pienso, esta es la primera vez que la Sra. Cantu y mi papá se han visto obligados a hablar durante más de diez minutos. Con razón están tan callados.

—¿Los estamos aburriendo? —pregunta Vanessa.

—No, mija —dice su mamá—. Nos alegramos de que se hayan divertido. Como en los viejos tiempos.

En ese momento lo entiendo: "Como en los viejos tiempos". Ahora sé por qué mi papá frunció el ceño cuando mencioné el restaurante. A mi mamá le encantaba venir a Snoopy's. Hubo una época en la que veníamos por lo menos una vez al mes, todos juntos, mi familia y la familia de Vanessa. Nos poníamos al día en las conversaciones, Vanessa y yo, las mamás y los papás. Pero esta era la primera vez que veníamos desde que el Sr. Cantu se fue de la casa y desde que mi mamá se murió.

Al pensarlo me pongo muy triste y siento un nudo en la garganta, como cuando estás a punto de llorar.

—Me voy a pasear por el muelle —digo, porque quiero estar un momento a solas.

Todos lo entienden y me dejan alejarme y no me siguen.

El muelle no es muy largo, pero es privado y está oscuro. Llego hasta el final y me siento en el borde, con los pies colgando sobre el agua. Las pequeñas olas salpican en los postes. Mis lágrimas caen al mar. Ya he probado antes las lágrimas. Son saladas, como el agua que tengo bajo los pies, y me pregunto si el mar está hecho de lágrimas de toda la gente y de todos los animales que han perdido a sus mamás.

Al cabo de un rato, viene mi papá y se sienta a mi lado.

—La extraño mucho —digo.

—Yo también, mija —dice.

Entonces me pone el brazo encima y pasamos los siguientes cinco minutos juntos, llenando el mar.

9

Frágil como la cáscara de un huevo

El día después de Halloween es el Día de los Muertos, que es cuando vuelven los espíritus, no para perseguirnos sino para visitarnos. Por supuesto, eso quiere decir que papá y yo pasaremos tiempo con mi mamá. Y como es la primera vez que vamos a rendirle homenaje, queremos que sea superespecial.

Primero mi papá maneja hasta la panadería La Guadalupana y compra calaveras de azúcar. Después se detiene en la floristería y compra caléndulas en un jarrón cubierto de papel de aluminio azul y una docena de rosas rosadas.

Cuando llegamos al cementerio, ya hay cientos de personas. La mayoría está merendando cerca de las lápidas. Algunas rastrillan las hojas y riegan el césped. Al pasar a su lado nos saludan. Por fin llegamos a la lápida de mamá, donde papá y yo nos arrodillamos a rezar. Cuando terminamos, papá le ofrece las rosas al espíritu de mamá y yo le ofrezco las caléndulas. Nos sentamos en el césped y comemos las calaveras de azúcar.

—¿No te conté? —le dice papá a mamá—. Lina ganó el último partido de voleibol. Nuestra hija es la mejor jugadora del equipo.

—Lo dice porque soy su hija —digo—. No le hagas caso.

—Estarías muy orgullosa de nuestra hija, mi amor. Además, es muy inteligente.

—Sobre todo con las ciencias —presumo.

Papá tiene más cosas que decirle a mi mamá. Sé que quiere estar solo, así que me voy a dar un paseo.

Algunas de las lápidas tienen fotos, pero yo no necesito una foto para recordar hasta el último detalle de mi mamá. Le encantaba ponerse pulseras que tintineaban y camisas sin mangas porque tenía los brazos muy lindos. A casi todas las mujeres les cuelga el pellejo por encima de los codos, pero a mi mamá no. Tenía unos bíceps firmes porque hacía ejercicio con sus pesas de cinco libras todas las mañanas. Solía flexionar los músculos delante del espejo cuando pensaba que estaba sola. A veces la llamaba Xena por el programa de la tele.

Una cosa que compartían mamá y papá eran los dichos, pero eran muy diferentes a la hora de decirlos.

Tengo que admitir que los de papá siempre tienen sentido. Van con la conversación. Si le hago a papá una pregunta indiscreta, seguramente me dice "No preguntes lo que no te importa". Casi siempre usaba un dicho cuando yo hacía algo, sobre todo si era malo. Por ejemplo, si descubría que había dicho una mentira, decía "Las mentiras no tienen pies".

Las razones por las que mi mamá decía sus dichos siempre eran un misterio para mí. Los decía en los momentos más raros y me sorprendían porque siempre eran inesperados, como el cucú de un reloj que se adelanta diez minutos.

Un día, mamá y yo estábamos sentadas en el porche de atrás de la casa comiendo un helado cuando de pronto ella dijo:

—Camarón que se duerme se lo lleva la corriente.

—Mamá, ¿qué tiene que ver el helado de chocolate con un camarón?

Ella se rió.

—Realmente es una combinación un poco asquerosa —asintió.

Otro día, estaba mirando la fecha de caducidad en un cartón de leche y me dijo:

—¿Sabes qué, Lina? Lo mismo el chile que la aguja, a todos pican igual.

—¿Por qué dices eso? —pregunté—. ¿Estabas pensando en mezclar los chiles con leche?

—No. Eso me daría un gran dolor de barriga.

Otra vez fuimos a una zapatería en el centro comercial, y como no teníamos manera de saber cómo estaba el tiempo afuera mi mamá dijo:

—Después de la lluvia sale el sol.

—Mamá —dije—. Dejamos el auto en un estacionamiento bajo techo, así que aunque llueva, no nos vamos a
mojar. No lo entiendo. ¿Por qué siempre estás diciendo
dichos que no vienen al caso?

—No vienen al caso ahora —explicó—, pero nunca
sabes cuándo vas a necesitar un buen dicho. Quiero ase-
gurarme de que se te queden unos cuantos en la cuenta de
tu cerebro.

—¿Qué es la cuenta del cerebro?

—Es como una cuenta bancaria, pero en lugar de me-
ter dólares, metes dichos.

No pude evitar reírme y todavía hoy, mientras camino
entre las lápidas, me hace sonreír la manera en la que mi
mamá me enseñaba los dichos. Me gusta pensar en ella
sin ponerme triste.

De vez en cuando miro hacia donde está mi papá y
espero a que me haga una señal que indique que está listo
para irse. Al pasar entre las lápidas, leo los nombres y las
fechas que tienen inscritas, y me invento historias de esas
personas, sobre todo de las que vivieron muchísimos
años. ¿Qué dirían si las pudiera oír? ¿Tenían hijas? ¿Las
seguirán visitando esas hijas?

Por fin mi papá me hace un gesto para que me acerque. No había llorado en todo el día, pero en cuanto llegamos a la casa se va corriendo a su habitación y cierra la
puerta. Me doy cuenta de que su aplomo es tan frágil
como la cáscara de un huevo.

A la mañana siguiente, veo varios pañuelos de papel
arrugados en la basura y me siento triste, no por mi
mamá, sino porque mi papá no me dejó consolarlo al

Diana López

igual que él me consoló a mí en Snoopy's. Cuando se esconde así, me siento como una carga, y luego me siento invisible. Entonces me pregunto, ¿cuál será el dicho perfecto para esto?

10

Fábrica de cascarones

Al lunes siguiente, Vanessa se asoma desde la litera de arriba.

—¿Por qué tardas tanto? —dice—. Vamos a llegar tarde a la escuela.

Me encojo de hombros mientras busco en la gaveta. Sé que suena raro, pero estoy convencida de que el destino amoroso de mi vida está relacionado con mis medias.

—¿Es por Luis? —pregunta Vanessa, leyéndome la mente. A veces la telepatía con tu mejor amiga es insoportable—. ¿Vas a usar tus medias como carnada para que se enamore?

—A lo mejor —digo.

—¡Qué cursi eres!

Vanessa se retuerce de la risa en la cama.

—Deja de meterte conmigo. No es tan cursi como ir disfrazados a juego.

—Está bien, está bien, estamos empatadas —dice saltando de la litera—. Apártate. Yo seré tu asesora de moda.

Nos decidimos por unas medias blancas hasta la rodilla con unas flores bordadas en colores pasteles en la parte de arriba. Un diseño de lo más delicado.

—No sé por qué me esfuerzo tanto —digo—. No puedo hacer gran cosa por mi aspecto.

—Deja de hacerte la tonta. Eres muy linda.

—Es fácil para ti decirlo. Tú consigues hacer que los granos parezcan accesorios.

—Lo que necesitas es una falda —sugiere.

—Ni hablar. Estoy demasiado flaca.

—No, de eso nada. Eres como mi mamá. Siempre escondiendo la figura.

—¿Qué figura? Ya has visto mis piernas. ¡Tengo las rodillas más anchas que los muslos!

Mueve la cabeza como si yo estuviera loca.

Cuando llego a la clase de ciencias estoy tan nerviosa que siento un nudo en el estómago. Luis y yo la pasamos muy bien en el carnaval, pero no habló de nada en particular.

"¿Le gusto o no?", me pregunto.

Cuando llega, hace lo de siempre: se sienta, me saluda con la mano, mira su reloj de sol y se da la vuelta.

Desde luego no es el comportamiento de un chico enamorado.

El Sr. Star empieza la clase recordándonos que tenemos que entregar los proyectos para el semestre antes de las vacaciones de invierno. Después pone un video del National Geographic sobre los arrecifes de coral y apaga las luces.

—Psss.

Es Luis, que me pasa una nota.

Intento leerla, pero está demasiado oscuro. Tengo que inclinarla para poder leerla con la luz de la tele. Poco a poco descifro las palabras.

"¿Puedo acompañarte después de la escuela?", dice la nota.

¿Es esta la señal de amor que estaba esperando?

"Sí. Nos vemos en el estacionamiento de la cancha de tenis", escribo y le paso la nota.

—Muy bien —dice en un susurro.

La película sigue, y justo cuando empiezo a prestar atención, recuerdo que la Sra. Cantu me va a recoger después de la escuela. Se supone que vamos a ir al supermercado, pero prefiero caminar un rato con Luis. Así que me volteo para decírselo a Vanessa, pero está en la fila de atrás con Carlos. No están viendo la película, sino que están hablando bajito. Después de la clase, Carlos se queda cerca de nosotras hasta que suena el timbre del cuarto periodo, lo que significa que Vanessa y yo no tenemos ni un momento de privacidad.

¿Qué voy a hacer? Quiero ir con Luis, pero si no aparezco, la Sra. Cantu llamará a la Guardia Costera.

Con tando nerviosismo, no me puedo concentrar en literatura. Para colmo, no estudié las palabras de vocabulario. La Sra. Huerta quiere que definamos unas palabras y las usemos en una oración. A lo primero lo llama "recordar" y a lo segundo, "aplicar".

Por primera vez decido seguir el consejo de mi papá de separar las palabras para entender su significado. La primera palabra es marsupial. Muy bien, me digo a mí misma, *mar* es ese montón de agua salada, así que marsupial debe significar... sopa de mar. DE CENA, LOS PESCADORES METIERON SUS OLLAS EN EL AGUA PARA HACER MARSUPIAL. Número dos, *tributo* tiene el prefijo *tri*, que quiere decir "tres", y *buto* suena a bulto, es decir, que tiene tres bultos. EL BEBÉ DE VANESSA ES UN TRIBUTO. La siguiente es *facilidad,* y me doy cuenta rápidamente. *Fácil* es que no es difícil, y el final de la palabra suena a "ciudad", es decir que deber de ser una "ciudad donde todo es fácil". ME GUSTARÍA VIVIR EN FACILIDAD. No está mal, me digo a mí misma. En poco tiempo, termino la tarea.

Después de la escuela, doy saltitos por el pasillo para alcanzar a Vanessa o a Luis, pero no veo a ninguno. ¡Con razón! Ya están en el estacionamiento de la cancha de tenis. La Sra. Cantu también está ahí. ¡Qué desastre! Si tan solo pudiera darme la vuelta.

—¿Conoces a este joven? —dice la Sra. Cantu, pero sin dejarme contestar, añade—: Porque dice que tú le dijiste que se reuniera aquí contigo para caminar juntos a casa.

Sus palabras me hacen sentir como si caminar juntos a casa fuera ilegal.

—Deja a Lina tranquila, mamá —dice Vanessa—. Puede hacer lo que quiera. Tú no eres su mamá.

—Lo soy de cierta manera. ¿Sabías que Lina es huérfana? —le pregunta a Luis—. Perdió a su mamá el año pasado, la pobrecita.

—Sí, ya lo sabía —dice Luis.

—Eso hace que sea una flor delicada. Y las flores delicadas no deben mezclarse con las malas hierbas.

—Ay, por Dios, mamá —dice Vanessa—. Solo porque papá...

—No digas "ay, por Dios", jovencita.

—Luis no es una mala hierba —digo—. Me preguntó si podía acompañarme y yo le dije que sí. Estaré en casa en quince minutos, Sra. Cantu, se lo prometo.

—Pero pensaba que querías ir al supermercado —contesta.

—Puedo ir en otro momento —digo.

Nos quedamos como autos en un atasco, cada uno metido en sus propias palabras.

—Bien —dice por fin la Sra. Cantu—. Yo no me hago responsable a no ser que tengas antes el permiso de tu padre.

—Déjala tranquila, mamá —dice Vanessa—. No es responsabilidad tuya.

—No, no lo es —dice la Sra. Cantu—. Si lo fuera, ahora mismo estaría en el supermercado. Porque ninguna hija mía va a salir con chicos hasta que se gradúe de la universidad.

Vanessa emite un gemido extraño, una mezcla entre gruñido y grito. Después se mete muy molesta en la camioneta, pega un portazo y se sienta con los brazos cruzados. Está más enojada que yo. De hecho, yo no estoy enojada para nada. Siento una combinación entre vergüenza y agradecimiento.

—Hola —dice la Sra. Cantu en el teléfono—. ¿Homero?

Oigo la voz débil de mi papá.

—Te llamo porque Lina quiere caminar a casa con un chico.

Mi papá le dice algo.

—De la escuela —dice ella.

Él dice algo más.

—¿Estás seguro? Porque yo la puedo llevar a casa si quieres. Ya estoy aquí.

Otra pausa que me parece dura un año.

—Bueno, si a ti te parece bien, pero deberías saber que este chico es hispano, mide cinco pies y cuatro pulgadas, tiene el cabello marrón, los ojos marrones y debe de pesar unas ciento veinticinco libras.

Me muero de vergüenza.

Entonces la Sra. Cantu se despide de mi papá, cuelga el teléfono y dice:

—Recuerda, Lina, si no estás en casa en quince minutos, tu papá te reportará como persona desaparecida.

Por fin, la Sra. Cantu se mete en su auto y da marcha atrás. Me despido con la mano de Vanessa, pero ella, en lugar de contestar el saludo, se da media vuelta. ¿Por qué está tan enojada? ¿Qué hice?

Cuando finalmente nos quedamos solos, le cuento a Luis que vivo en la calle Casa de Oro. Él asiente. Casa de Oro está a solo dos cuadras de la escuela.

—Siento que la mamá de Vanessa fuera tan grosera. No puedo creer que le diera a mi papá tu descripción.

—Yo no creo que sea grosera. Es, es, es divertida.

—Sí, sí, muy divertida —digo.

Luis hace un gesto con la mano como si estuviera loca.

—Es una lunática. Yo soy una flor delicada. Y tú eres una mala hierba.

Sonríe.

—Una m-m-mala hierba de cinco pies y cuatro pulgadas.

Nos reímos por un rato, y la situación me parece de lo más ridícula.

Horas más tarde, cruzo la calle. La Sra. Cantu apenas levanta la mirada cuando entro. Se ha convertido en una fábrica y corta círculos de papel para docenas de cascarones.

—¿Todo bien? —le pregunto a Vanessa mientras la sigo hasta su habitación y me siento en mi almohadón de bolitas—. Actuaste de forma un poco rara esta tarde.

—¿Y te extraña? Mi mamá es tan estricta. Jamás me dejará caminar a casa con un chico. Odia a los hombres.

—Tenemos que hacer algo para que cambie de opinión.

—Sí, pero ¿qué? —Vanessa mira al techo y se toca la barbilla para pensar—. ¡Ya lo tengo! —dice—. Vamos a mirar en internet.

Nos acercamos a su laptop y me pongo detrás de ella mientras busca en Google: "Conexión Corpus".

—¿Qué haces? —pregunto.

—Vi esta agencia de citas en la tele.

—¿Vas a apuntar a tu mamá?

—No —dice Vanessa—, pero quiero saber quién anda por ahí. A lo mejor podemos crear un admirador secreto para ella. Así, estará distraída y no se pasará el día protestando sobre mi papá. A lo mejor hasta deja de hacer cascarones y me deja salir con chicos.

Aparece en la pantalla la página de Conexión Corpus.

Entramos al sitio.

—Mira qué tipos tan raros —dice Vanessa—. Este escribió un poema sobre su perro: "Mi perra Adela se pega a mí como una sanguijuela".

—Qué asco —digo.

—Y este está entrenando para la competencia nacional de torres de vasos.

—¿Y eso es posible?

—Sí —dice Vanessa—. Y está de lo más motivado. Cree que hacer torres de vasos es un deporte serio. Piensa que deberían llevarlo a las olimpiadas.

—Qué horror.

—Oye, mira —dice—. Este está buscando una señorita.

Leemos el anuncio en inglés: *Hello, señorita. I would-o like-o to meet-o you.*

—Que tonto —digo—. Si piensa que puede hablar español añadiendo una "o" a todas las palabras.

Vanessa cierra la página.

—Empiezo a pensar que la Conexión Corpus es una mala idea.

Aparta la computadora, pone los codos en el escritorio y apoya la cabeza en los brazos. Ojalá tuviera las palabras adecuadas para animarla, pero no se me ocurren.

11

Huevos podridos

Pasa otra semana. Todas las noches después de cenar voy a mi cuarto. Mi papá cree que estoy leyendo *La colina de Watership*, pero hago de todo menos leer. Si presto atención en clase, no hace falta que lea. Todos los días, la Sra. Huerta nos pide que resumamos unos capítulos, y siempre encuentro algo que escribir.

El primer día escribí: "*La colina de Watership* trata de un conejo llamado Hazel —ese detalle lo saqué de la portada del libro—. Tiene dos dientes muy grandes y le gusta decir '¿Qué hay de nuevo, amigos?' Cuando se pone de pie, es tan alto como un hombre. Es el conejo más alto del pueblo. A veces los otros conejos se ríen de él. Vive en una habitación bajo tierra, con un sofá, una lámpara, una pantalla grande de televisión, Xbox y todo lo que tiene una casa normal menos libros. A Hazel no le gustan los libros. Le gustan las zanahorias. Siempre se mete en líos porque las roba del huerto de un señor calvo. El año pasado, la mamá de Hazel se murió y su papá se fue porque estaba muy triste. Así que ahora Hazel tiene que buscar un papá".

Es fácil inventarse cosas cuando mi papá me da pistas todo el tiempo sobre la trama del libro. Ni siquiera me preocupa la nota. Supongo que lo estoy haciendo muy bien porque la Sra. Huerta todavía no me ha devuelto mis tareas corregidas. Le gusta hacer copias de las mejores para compartirlas con la clase.

Además, creo que el libro es una tontería. ¿Quién ha oído hablar de conejos que tienen conversaciones inteligentes?

Así que en lugar de leer el libro, ordeno mis gavetas de medias, esta vez por colores. Después saco una de mis medias solitarias, meto la mano y con un marcador dibujo unos lentes y una nariz.

—Hola, Luis —digo.

—Hola —contesta mi mano.

Voy a comprar un poco de lana y a ponerle pelo rizado en cuanto pueda. Pero por ahora, pongo a Luis con mis medias de rock.

No ignoro el libro *La colina de Watership* completamente. Además de usarlo de posavasos, lo uso para sujetar la puerta y como arma letal para cualquier mosca, polilla u hormiga que se le ocurra colarse en mi cuarto. La portada del libro tiene más insectos aplastados que la parte de delante del auto de mi papá.

En una hoja de papel rosado escribo "Luis y Lina". Nada más dibujar un corazón alrededor de nuestros nombres, ¡tengo una revelación! ¡No podía ser más perfecto! Luis y yo tenemos un índice de afinidad del cincuenta por ciento, esa es mi fórmula matemática para calcular cuánto tienen en común las personas. Cincuenta por ciento es el número perfecto porque no quiero ser exactamente como Luis. Necesitamos ser un poco distintos para que la reacción sea más interesante. Si fuéramos demasiado distintos nos pelearíamos mucho, y si fuéramos más parecidos nos aburriríamos. ¿Que cómo calculé el índice de afinidad? "Luis y Lina" son ocho letras en total, dividido por el factor afín de cuatro (por las *eles* y las *íes* gemelas) es dos, y cien dividido por dos es cincuenta.

En otra hoja de cartas dibujé una gráfica T, que es algo que mi maestra llama organizador de gráficas. En un lado de la gráfica escribí *igual* y, en el otro, *diferente*. Estoy a punto de empezar a hacer una lista cuando Vanessa aparece por la puerta.

—¿Qué haces? —pregunta subiéndose a la litera de arriba y mirando la hora en su reloj.

—Estoy haciendo una gráfica T para poner las cosas que Luis y yo tenemos en común y las que no tenemos en común.

Se ríe.

—¿Te dedicas a convertir todo en una tarea?

—Si esta fuera una casa normal, estaría viendo la tele.

—Créeme, no hay nada normal en ver la tele cuando tu mamá se la pasa viendo telenovelas.

—¿Está viendo otra de esas que dejan a los hombres por el suelo?

Vanessa vuelve a mirar el reloj y asiente. Justo entonces, suena el teléfono.

—¿No vas a contestar? —pregunta Vanessa—. Seguramente es Luis.

Tiene razón. De pronto mi corazón empieza a latir a toda velocidad.

—¿Entonces? —dice.

Contesto el teléfono.

—Bueno.

Es un chico, pero no es Luis.

—¿Lina?

—Sí.

—¿Está Vanessa?

—¿Quién llama? —pregunto. Entonces lo entiendo todo. Ahora ya sé por qué Vanessa no paraba de mirar el reloj. Esta visita estaba planeada—. ¿Es Carlos?

—Um. Sí.

Vanessa se asoma por el borde de la cama y extiende la mano para agarrar el teléfono.

Tapo el auricular.

—No puedo creer que me estés usando para tus servicios telefónicos —digo.

—Dámelo de una vez.

Me lo quita y se voltea hacia la pared. Son las 7:45. A las 7:55 le digo que se despida.

—Solo un minuto más, Lina. Estamos haciendo la tarea.

¿Por qué miente? Esta es definitivamente una llamada social.

Intento trabajar en mi gráfica T, pero estoy demasiado enojada. Según el código de amigas íntimas, está bien que use mi teléfono. Eso no me importa. Y tampoco me importa si le miente a su mamá, pero sí me importa que me mienta a mí.

Escribo "Vanessa y Carlos" en una hoja de papel. Trece letras con un factor de afinidad de cuatro. Trece dividido por cuatro es tres con veinticinco. Cien dividido por tres con veinticinco da un factor de afinidad del treinta y uno por ciento. No está muy bien que digamos. Lo dicen los números. Deberían colgar ahora mismo y ahorrarse las molestias.

Vuelvo a mirar el reloj. Han pasado diez minutos.

—No tenemos llamada en espera, ¿sabes? —digo.

Vuelve a asomarse.

—¿Y? ¿Estás esperando una llamada?

—A lo mejor.

—¿De verdad?

—De verdad quiero que me devuelvas mi teléfono.

Mira hacia el techo.

—Oye, Carlos —dice—. Me tengo que ir. Lina está convirtiendo este lugar en una lloriquería.

No puedo creer que usara la palabra "lloriquería" para referirse a mí. Eso es lo que decimos cuando hay demasiados llorones alrededor. La usamos cuando nuestros compañeros de clase protestan sobre las tareas o nuestras compañeras de equipo protestan sobre el calentamiento, pero nunca la usamos para hablar de nosotras. Nuestro lema es SIN DOLOR NO SE GANA.

—Toma —me dice dándome el teléfono—. Aunque no creo que vayas a usarlo.

—Nunca se sabe —digo—. A lo mejor me llama Luis. Llevo varios días caminando con él a casa, ¿recuerdas?

—La Tierra llamando a Lina —dice—. No te llamará porque no sabe hablar.

—Habla perfectamente.

—¡Si estás dispuesta a esperar diez minutos para que diga tres palabras! —dice sarcásticamente.

A veces esta amistad apesta a huevos podridos.

—Tengo tres palabras para ti —digo—. ¡Vete de aquí!

Vanessa sabe que se ha pasado de la raya conmigo porque me pide disculpas inmediatamente y me dice que en realidad no quería meterse con Luis. Pero estoy demasiado dolida para perdonarla. Agarro *La colina de Watership* y decido usarlo contra el mayor insecto que hay en mi cuarto.

—¡Vete de aquí! —vuelvo a decir dándole en las piernas.

Salta de la litera, sale corriendo de la habitación y yo pego un portazo detrás de ella.

Huevo en la cara

A la mañana siguiente salgo directo a la escuela. Lo admito, soy un poco rencorosa. El problema es que me siento muy sola.

En cuanto entro en la clase, veo a Vanessa.

—Lina, lo siento. De verdad que lo siento mucho —me dice.

—Eso díselo a tu novio —digo, mirando a Carlos.

Vanessa deja escapar un pequeño resoplido y va a sentarse con él.

Apenas levanto la mirada cuando entra Luis.

—¿Qué pasa? —pregunta.

—Me peleé con Vanessa. —No le pienso decir que se metió con él porque es tartamudo, así que digo—: Cosas de chicas. Tú ya sabes cómo es eso.

Diana López

—¿Ah, sí? —dice, y se mira las piernas y los brazos—. Menos mal que la última vez que me miré no era una ch-ch-chica.

Con eso lo arregla todo y me quita la mala cara.

Cuando empieza la clase, Luis y yo nos intercambiamos notas. Me pregunta cosas como cuál es mi video musical preferido, mi película preferida y lo más gracioso que haya visto en internet.

—Un vestido de novia —escribo.

—¿Por qué es divertido?

—Porque lo llevaba puesto un chico y tenía la espalda peluda.

Luis se parte de la risa al leer mi nota.

—¿He dicho algún chiste? —pregunta el Sr. Star.

—N-n-no señor —dice Luis.

El tiempo pasa volando y se acaba la clase. Me siento muchísimo mejor. Con Luis en la mente no camino, sino que me desplazo flotando al cuarto periodo.

Es una lástima que tenga que ir a clase de literatura. La Sra. Huerta arruina mi buen humor en el minuto que me devuelve la prueba de vocabulario ¡con un gran cero!

—Por favor, ven a verme después de clase —dice.

—Muy bien —digo—. Pero ya que está repartiendo papeles, ¿me podría devolver los resúmenes del libro que estamos leyendo?

—No. No los tengo conmigo.

—¿No? ¿Dónde están?

—Lina, sabes muy bien donde están.

Pero no sé dónde están. ¿Cómo me voy a concentrar con todo este misterio entre manos? ¿Por qué me voy a molestar en resumir la última parte de *La colina de Wa-*

tership cuando mis otros resúmenes están flotando en algún lugar del cosmos?

A lo mejor no leí el libro, pero como dije antes, presto atención en clase. También tomo notas. Consigo los suficientes detalles para mi aventura de Fiver y Hazel. Fiver es, o era, el mejor amigo de Hazel. La última vez tuvieron que disfrazarse. Hazel se enojó cuando Fiver y una coneja llamada Carlita se disfrazaron de los niños piruleta del *Mago de Oz*. Después se dedicaron a aspirar helio para que se les pusiera la voz cómica. Entonces, se pusieron unos gorros con unas hélices que daban vueltas y se cortaron las orejas. Para la tarea de hoy, decido que Hazel y Fiver se van a pelear, una pelea grande como la que tuvimos Vanessa y yo. La voy a llamar "La última explosión".

Después de clase, la Sra. Huerta espera a que todos se vayan. Vanessa se queda por ahí, pero la Sra. Huerta le pide que se vaya ella también. Yo sigo enojada con Vanessa, pero tengo que admitir que me gustaría irme con ella.

Una vez que nos quedamos solas, la Sra. Huerta me pide que le devuelva la prueba de vocabulario al día siguiente.

—¿Con correcciones? —pregunto.

—Ahora que lo dices, me parece muy buena idea.

Añade algo más.

—Devuélvemela con correcciones y con la firma de tu papá. Creo que estará interesado en ver cómo te va en mi clase y tendrá curiosidad por saber por qué no practicarás ningún deporte durante un tiempo.

—¿Qué quiere decir? —digo con la esperanza de que la Sra. Huerta esté usando alguna técnica para asustarme. Eso es lo que hacen los maestros cuando ven que algún estudiante se está descuidando un poco. Los amenazan con algo falso.

—Tengo que darle a la entrenadora Luna el reporte de tu progreso para la nueva temporada de fútbol —dice la Sra. Huerta—. Ya sabes las normas. Proyecto de Cámara 72: Si no pasas, no juegas. Es la ley.

—Lo sé. Siento mucho haberlo hecho mal, pero...

—Ni peros ni perdones. No acepto excusas y no acepto disculpas. Lo único que acepto es un cambio de comportamiento.

Su voz suena muy seria. ¡Ay, no! Esto no es una táctica para asustarme, para nada. No puedo salir de esta con palabras dulces. Hoy es el primer día de entrenamiento, ¡y ya me han echado del equipo! Siento un nudo en la garganta y se me ponen las orejas y el cuello colorados de la pena.

—Pero, Sra. Huerta, es que tengo que jugar. Tengo que estar en forma para el equipo de voleibol del año que viene.

Intento no llorar, pero se me salen las lágrimas.

—Lo siento, cariño. Tienes que estudiar. Sé que es difícil aceptarlo, pero a la larga me lo agradecerás.

—Pero tengo que jugar —repito. Esta vez no me importa sonar a niña de preescolar, y empiezo a berrear—. ¿No me puede dar una oportunidad de conseguir mejor nota? Haré lo que sea. Leeré un montón de libros. Le lavaré el auto. Cuidaré a sus hijos gratis.

—Eso no te hará que saques una mejor nota —dice—. Eso es soborno.

Pedirle disculpas a la Sra. Huerta es como pedirle disculpas a una tabla de planchar. Me ofrece una caja de pañuelos, pero niego con la cabeza porque tengo en el bolso una "media pañuelo" que uso para secarme las lágrimas.

No puedo ir a la cafetería llorando. Todo el mundo me preguntará qué me pasa, y no estoy lista para contarles que me han echado del equipo. Así que vuelvo a mi mesa. Intento calmarme utilizando la técnica de decir cosas positivas que me enseñó mi papá.

"Estás bien. Estoy bien —me digo a mí misma—. Lo que no mata te hace más fuerte".

¿Y qué hace la Sra. Huerta mientras lloro? ¡Se come un sándwich, masca unas papitas y corrige pruebas! En lugar de enseñar, debería dedicarse a asfixiar cachorritos en la perrera.

Camino sola a casa. Luis está ensayando para el concierto de Navidad y Vanessa está en el entrenamiento de fútbol (aunque si yo hubiera estado ahí, no estaría con ella precisamente). Noto que todos los chicos que van a casa justo después de la escuela son extras de Hollywood, y me doy cuenta de que… sin fútbol, yo también soy una extra. Ni siquiera puedo ser la niña que lleva el agua hasta que apruebe la clase de literatura. Tal y como están las cosas, estoy por debajo de un extra de Hollywood.

Dejo caer mi mochila al lado de la puerta y me voy a mi habitación. Han sido unas veinticuatro horas espantosas, las peores. Agarro una cobija, la ato alrededor de los postes de la litera de arriba y dejo que caiga por un lado, como si fuera una pared que llega hasta la cama de abajo. Eso es lo que hago cuando quiero desaparecer. Llamo a mi pequeño escondite "la cueva".

Treinta minutos más tarde, oigo que llega mi papá. Pasa al lado de mi cuarto y se detiene.

—¿Lina? —llama—. ¿Estás ahí?

—Sí —digo.

Lo oigo acercarse. Empuja la cobija hacia un lado y me mira.

—¿Por qué no estás en el entrenamiento de fútbol? —pregunta.

—Al final no voy a jugar. En realidad no me gusta el fútbol.

—¿Por qué no?

—Tengo las piernas demasiado largas. Me tropiezo todo el tiempo con el balón. ¿A quién le gusta eso?

Sueno tan convencida que yo misma me creo y, ¿por qué no? Es cierto. Todo eso. El fútbol y las piernas largas no van bien juntos.

—Me gustaría que lo reconsideraras —dice mi papá—. ¿No crees que te aburrirás limpiando la casa mientras tus amigas están en el entrenamiento?

—No. No me aburro.

—Ummm —dice mi papá.

Sé que no me cree, pero decide no hacerme más preguntas. Al cabo de unos segundos, deja caer la cobija y se va.

Entonces oigo el teléfono. Seguramente es Carlos, pero no contesto. Quiero que conteste mi papá. A lo mejor le comenta a la Sra. Cantu algo sobre el novio de Vanessa de forma casual.

Cuando oigo sus murmullos en la conversación, me imagino que es algún vendedor. Entonces cierro los ojos para tomar una siesta, pero antes de quedarme dormida mi papá me llama desde la sala.

—¡Apolonia! —oigo.

—¿Qué? —grito de vuelta.

—Ven aquí —dice.

Parece enojado. Solo usa mi nombre completo cuando hago algo malo. Así que estoy metida en un lío o algún vendedor lo convenció de que comprara unas botas para la nieve o rímel de pestañas para todo un año.

Cuando voy a la sala, ¡veo que está mirando en mi mochila!

—Oye, eso es propiedad privada —digo, pero es demasiado tarde.

Mi papá encuentra lo que andaba buscando: mi prueba de vocabulario con el gran cero.

—La Sra. Huerta acaba de llamar —dice.

No lo puedo creer. Es como si hubiera leído mi mente, como si supiera que pensaba falsificar la firma de mi papá. Me han pillado.

—Me dijo la verdadera razón por la que no estás en el entrenamiento.

¿Qué puedo decir? Me quedo ahí esperando mi castigo como un castillo de arena esperando a que venga una ola.

Mira mi prueba.

—¿Cómo pudiste sacar un cero? —pregunta—. ¿Es que lo hiciste mal a propósito? ¿Y por qué harías algo así?

Me limito a encogerme de hombros.

—Facilidad, una ciudad fácil —dice, y mueve la cabeza—. ¿Cómo puedes haberte equivocado con "facilidad"?

—Hice lo que tú me dijiste —digo en mi defensa.

—¿Y eso qué es?

—Separé la palabra para averiguar su significado.

—Pero, Lina, "facilidad" es una palabra tan fácil. La usamos todo el tiempo. Es una palabra normal y corriente.

—También intenté utilizar el mismo método para averiguar la palabra marsupial —explico—, y esa también la hice mal. ¿Cómo puedo saber cuándo fijarme en los prefijos o sufijos y cuándo no? Y, además, ¿a quién le importa el vocabulario?

Mi papá frunce el ceño. Está realmente enojado, pero yo no siento nada. ¿Qué importa si lo he decepcionado? Por lo que a mí respecta, estamos empatados.

—No puedo entender cómo puedes reprobar tu asignatura preferida —dice.

—La literatura es tu asignatura preferida, no la mía.

Se frota la cabeza. Bien. Espero haberle dado un buen dolor de cabeza.

—Entonces, ¿cuál es tu asignatura preferida? —pregunta.

—Es de la que hablo todo el rato.

—¿Voleibol?

—Voleibol no es una asignatura —digo—. Es una actividad extra escolar. Además, ahora es la temporada de fútbol, ¿recuerdas?

—Entonces, ¿matemáticas?

—Las matemáticas están bien, pero tampoco es mi asignatura preferida.

No lo puedo creer. Está perdido.

—Ciencias —digo—. Me gustan las ciencias.

Asiente.

—Debería haberlo sabido. Cada cabeza es un mundo. Cada uno tiene su manera de pensar. Por lo menos ahora ya sé por qué te vestiste de pez demonio por Halloween.

—¡No era un pez demonio! ¡Era una marea roja! ¡Es que nunca escuchas! ¿Ves?

Estoy a punto de salir corriendo a mi cuarto cuando alguien toca a la puerta. Antes de abrir, oímos la voz de Vanessa.

—¡Corra, Sr. Flores! ¡Rápido!

—¿Qué pasa? —pregunta mi papá abriendo la puerta.

—Es mi mamá —dice Vanessa—. Se cayó. ¡Se hizo mucho daño!

13

Un huevo debajo de la cama

Seguimos a Vanessa hasta la cocina. En cuanto veo a la Sra. Cantu me acuerdo de la época en la que me dio por jugar a que mi Barbie era Gail Devers, una estrella del atletismo de las Olimpiadas. Una vez la puse en postura de salto de vallas y ¡*PLOP*!, se le salió una pierna.

—¡Ay, Homero! —grita la Sra. Cantu cuando ve a mi papá—. ¡No me puedo mover!

—Tranquila, tranquila —dice mi papá.

—Acabo de regresar del entrenamiento y la encontré así —explica Vanessa—. ¡Creo que lleva horas en esa posición!

—Así lo he sentido yo también —grita la Sra. Cantu.

—Tranquila, tranquila —dice mi papá.

—Alguien me ha echado mal de ojo, alguien que está envidioso de mis hermosos cascarones. Ahora tengo que llamar a la curandera y decirle que ponga un huevo debajo de mi cama.

Una curandera es alguien que puede deshacerse del mal de ojo rompiendo un huevo en un cuenco con agua y poniéndolo debajo de la cama de la víctima mientras duerme.

—No necesitas una curandera —dice Vanessa—. Necesitas un médico. Por favor, Sr. Flores. Por favor, haga que razone.

Mi papá busca las llaves en su bolsillo.

—Supongo que tendremos que ir al hospital. Seguramente necesitarás que te enyesen la pierna.

La Sra. Cantu casi se desmaya.

—¡Ay, Dios mío! ¿Un yeso?

Cuando llegamos al Hospital Spohn, mi papá ayuda a la Sra. Cantu a caminar hasta la recepción.

—¿Por qué no estabas en el entrenamiento de fútbol? —me pregunta Vanessa—. ¿Sigues intentando evitarme?

—No.

—Entonces, ¿dónde estabas?

—Es una historia muy larga.

—Me caí en la cocina —dice la Sra. Cantu—. Y estaba sola porque mi esposo, ese que no vale para nada, me dejó hace tres años.

—¿Es que le tiene que contar a todo el mundo que está divorciada? —dice Vanessa.

—Déjala tranquila. Ahora mismo está muerta de dolor.

—Lo sé, pero no soporto cuando habla mal de mi papá.

—Por lo menos no le dice groserías a la cara —digo.

—¿Estás hablando de mi mamá o de mí? —pregunta—. ¿Sigues enojada porque anoche usé tu teléfono?

—No, estoy enojada porque te reíste de Luis.

—Está bien, dije una tontería. No quise decirlo, y te pedí disculpas, ¿no? ¿Qué más se supone que tengo que hacer?

No tengo una respuesta, así que lo único que puedo hacer es sentarme en una silla.

La Sra. Cantu dice que con el dolor no puede escribir los papeles. Así que mi papá agarra la tablilla y lo hace por ella. Después los entrega y mientras habla con la recepcionista me vienen a la cabeza los recuerdos de esa misma sala de emergencias, esa misma disposición de las sillas, ese mismo escenario de la noche que trajimos a mi mamá. No la hicieron esperar. Le tomaron la temperatura y en diez minutos estaba en la sala de Cuidados Intensivos. No puedo creer que esté aquí otra vez, en el mismo hospital donde murió por culpa de esos gérmenes que parecen un racimo de uvas.

De pronto, siento que el sándwich de mantequilla de maní que comí después de la escuela todavía está saltando en mi estómago como si fuera uno de esos castillos inflables que la gente alquila para las fiestas de cumpleaños.

—Tengo que ir al baño —digo, dejando a todos en la sala de espera.

Voy directo al inodoro y me pongo a vomitar. Después lloro y me sueno la nariz con papel higiénico. Esta es la segunda vez que lloro hoy. La primera era mi culpa. Lo admito. Merecía que me echaran del equipo de fútbol. La segunda, no. ¿Acaso merecía que muriera mi mamá? Hay gente más mala que yo, gente como Jason que todavía tiene mamá. En este momento es cuando desearía que la vida fuera como las matemáticas, donde puedo poner los números en una ecuación y tener las respuestas.

Cuando salgo del inodoro, Vanessa me está esperando cerca del lavabo.

—¿Has estado ahí todo este tiempo? —pregunto.

—Casi todo. Supuse que estarías pensando en tu mamá.

—A veces nuestra telepatía me asusta.

—Y a veces la manera como nos tratamos me asusta más. Lo que dije sobre Luis fue horrible —admite—. Lo siento muchísimo. No soporto cuando nos peleamos.

—Yo también lo siento. No debería haber sido tan grosera cuando intentaste disculparte esta mañana.

—No, yo soy la que lo siente.

—No, de verdad, Vanessa, soy yo.

Sonreímos un poco.

—¿Es la hora de las telenovelas o qué? —dice.

Asiento. Y después me río. Las dos nos reímos. Entonces nos damos un gran abrazo y regresamos a la sala de espera como íntimas amigas otra vez.

—¿Dónde está mi mamá? —le pregunta Vanessa a mi papá.

Él señala al pasillo.

—Le sacaron unas radiografías y ahora está esperando los resultados en una sala. Pueden esperar con ella si quieren.

—¿Rayos X? —digo—. Me encantan los rayos X. Después de haber leído tantas veces *Anatomía de Gray*, estoy segura de que podría nombrar todos los huesos de la pierna: la tibia, el fémur, la rótula.

—Espera un minuto —dice mi papá—. Tú y yo todavía no hemos terminado. Tenemos que hablar de tu nota de literatura.

Miro a Vanessa con cara de pena, deseando poder ir con ella a los rayos X. Me volteo hacia mi papá, y él me señala una silla para que me siente. Mientras camino voy pensando si debería hacer como si me estuviera dando un ataque al corazón para que me claven una aguja en el brazo y un tubo por la nariz y así no tener que escuchar a mi papá.

—Estaba pensando en lo que dijiste —empieza a decir.

Oh, no. ¿Qué dije? ¿Cuándo voy a empezar a hacer caso al consejo preferido de mi mamá? El silencio es oro. Si dije una mala palabra sin querer, entonces sí que estoy metida en un buen lío. Puede que me castigue por un año. Una vez dije una mala palabra y mi papá dijo: "¡Te voy a encerrar en un convento!". Lo decía en serio, y nunca más la repetí. Las monjas son muy amables y seguro que dan pasajes directos al cielo, pero las chicas no pueden ser atletas ni salir con chicos.

—A lo mejor tienes razón —dice mi papá, haciéndome volver al momento—. ¿Cómo puedo esperar que te interesen las cosas que a mí me gustan cuando yo no muestro interés por las que te gustan a ti?

Asiento, y me acuerdo de cuando se puso a leer el libro durante mi partido de voleibol y de cuando se levantó de la mesa a la hora de la cena para buscar *La colina de Watership*.

—Así que, dime —dice—, ¿cómo te puedo ayudar con las ciencias? Seguro que tengo algún libro interesante en mi biblioteca.

Me parece que estoy alucinando y no puedo creer la suerte que tengo. Esperaba cadenas y un calabozo con cucarachas subiendo por las paredes, y resulta que mi papá me quiere ayudar con mi proyecto. Es genial.

Pero pensándolo bien, a lo mejor no es tan genial. ¿Cómo me va a ayudar? Mi papá es muy listo para algunas cosas, pero para las cosas que no riman está perdido.

—¿Alguna idea? —pregunta esperando que le dé información sobre mi clase de ciencias.

—Tengo que hacer un proyecto sobre las grullas blancas —explico—. Ya están empezando a llegar las primeras. Todos los otoños vuelan desde Canadá a la Costa del Golfo.

—Ese es un viaje muy largo —dice mi papá—. Creo que tengo un libro sobre observar pájaros. A lo mejor podemos hacer unos afiches.

—Estaba pensando que podía ir a ver las grullas en vivo al Parque Natural Aransas Pass. No se pueden ver en las playas porque son muy especiales con su medio ambiente.

—¿Quieres que hagamos una excursión al fin del mundo?

Asiento.

Lo piensa. Sé que no quiere ir, pero al cabo de unos segundos dice:

—Si eso es realmente lo que quieres, te puedo llevar el viernes después del Día de Acción de Gracias.

—¿De verdad?

—De verdad.

—Pero no puedes comportarte como si fueras un marinero de *Moby Dick* ni como el dios del mar.

—¿Te refieres a Poseidón?

—Sí, Poseidón.

—¿Y qué tal Santiago de *El viejo y el mar*? —bromea—. ¿Puedo comportarme como él?

—No. Nada del Santiago ese. Y tampoco el chupacabras ni la mujer burro. ¡Ni ningún pájaro famoso! —añado.

Sé que esto le duele, pero lo toma como un hombre.

—Está bien —dice—. Te lo prometo. Nada de historias de mar o de pájaros. Tampoco historias de fantasmas.

No puedo evitar sonreír. Él también sonríe y me hala la oreja en broma. Todo va a salir bien, y no lo puedo creer.

Un rato más tarde, Vanessa y la Sra. Cantu, que va en una silla de ruedas, salen de la sala al final del pasillo.

—¿Cuánto tiempo tiene que usar la silla de ruedas? —pregunto.

La enfermera contesta por ella.

—Solo hasta llegar al auto.

—Les preocupa que me caiga con esta cosa enorme y los demande —nos explica la Sra. Cantu señalando el yeso de su pierna.

Cuando llegamos a casa, le pregunto a papá si puedo ir a casa de Vanessa un rato.

—Me va a ayudar a corregir mi prueba de vocabulario —digo.

Me dice que sí.

Con la ayuda de Vanessa aprendo que un marsupial es un animal que guarda a su bebé en un bolsillo, como el canguro, y que un tributo es un regalo o algo parecido.

—Vamos a mirar la Conexión Corpus —le digo cuando terminamos con las correcciones—. A lo mejor hay algún nuevo perfil de otro tipo raro. Por lo menos así tendremos algo para reírnos.

Buscamos el portátil y Vanessa se mete en internet. Efectivamente, hay muchos perfiles nuevos, pero en lugar de buscar uno divertido, Vanessa se fija en uno que le llama la atención.

—Este tipo se llama a sí mismo el Zorro Plateado —dice.

Seguimos leyendo y nos enteramos de que al Zorro Plateado le gusta "viajar y manejar mi Hummer por Ocean Drive". En la parte de trabajo había escrito que era un "hombre de negocios".

—Si es un hombre de negocios tiene que tener dinero —digo.

—Y si tiene un Hummer.

—Haz clic en su foto. Me muero de curiosidad por verlo.

Vanessa hace clic en el icono de su foto y aparece el Zorro Plateado en pantalla. Tiene la piel tostada, los ojos grises, los dientes superblancos y rectos y el cabello plateado, por supuesto.

—Parece un personaje de telenovela —digo.

—Sí, de esos que son dueños de una compañía muy grande y le compran flores a su novia y la llevan a Italia en su jet privado. —Vanessa observa al Zorro Plateado durante un rato—. Ya lo tengo —decide—. Este es el tipo que hará que mi mamá deje de odiar a los hombres.

—No puedes contactarlo, Vanessa. Es peligroso.

—No pienso escribirle. Solo voy a robar su identidad.

—¿Qué?

—Mi mamá necesita un admirador secreto para volver a sentirse especial —dice—. El Zorro Plateado es el admirador secreto perfecto. Así que pretenderé ser él cuando le escriba notas de amor. ¿Qué te parece?

—Creo que va a odiar más a los hombres cuando descubra que es mentira.

—Pero mientras tanto, se sentirá mucho mejor consigo misma —dice Vanessa—. Mi mamá nunca saldría con alguien que no conoce. Pero si empieza a sentirse atractiva, a lo mejor estará dispuesta a tener nuevas relaciones. ¿Entiendes lo que digo?

—Supongo —digo dudosa.

—Necesita una experiencia positiva con un hombre para quitarse de encima la mala experiencia que tuvo con mi papá.

—Bueno, si lo pones así, tiene sentido.

—Así que me vas ayudar, ¿verdad?

—Por supuesto —digo, y me río.

Una hora más tarde, escribimos el primer poema de amor:

Miré arriba y abajo y en todas las direcciones
en busca de una mujer que merezca mis atenciones.
Pero todas las chicas parecen tan falsas.
Chicas que quieren dejarme en ascuas.
Después descubrí que el arte era tu pasión,
y supe que cuidarías de mi dulce corazón.
Así que este Zorro Plateado se arrodilla a tu lado.
Por ti, la reina de esos huevos con confeti adorados.

14

El cabezahuevo más apuesto

Mi papá siempre califica exámenes los fines de semana, así que mamá y yo solíamos ir al centro comercial o al cine mientras él trabajaba. O comprábamos helados en el Parque Cole y nos quedábamos mirando a los niños volar cometas o montar en patineta. Ahora, los sábados me quedo sentada en casa, sobre todo si Vanessa está con su papá. Me aburro mucho. Eso es lo que pienso cuando suena el teléfono. Por suerte para mí, es Vanessa.

—¿Quieres ir a la playa? —dice.

—¿En noviembre?

—Sí, ¿por qué no? No vamos a tomar el sol. Vamos a trabajar en nuestros proyectos de ciencias. Mi papá me ha prestado su cámara digital. ¿No te parece genial?

—Pero en la playa no hay grullas blancas.

—¿Qué importa? Puedes invitar a Luis y ayudarlo con su proyecto mientras Carlos y yo trabajamos en el nuestro.

—Muy bien —digo—. Te llamo ahora mismo. Tengo que pedirle permiso a mi papá.

Algo me dice que no me va a dejar ir a la playa después de haber reprobado literatura. Pero por otro lado, he estado trabajando superduro para subir la nota. Todas las noches leo *La colina de Watership* y hago un resumen de cada capítulo. No sé si la Sra. Huerta aceptará estos resúmenes tan tarde, pero al menos lo estoy intentando.

—¿Papá? —pregunto. Está en la sala, anotando las calificaciones en su portátil—. ¿Puedo ir a la playa con Vanessa? Su papá nos va a llevar.

—Sí —dice.

—¿Y está bien si Luis va?

Levanta la vista de la pantalla. Sabe que he estado caminando a casa con Luis porque lo ha visto un par de veces. Se llevan bien, pero eso no impide que mi papá sea superprotector.

—¿Quieres decir como una cita?

—Si tú llamas una cita a ir a la playa a trabajar en los proyectos...

Se echa para atrás en su silla. Sé que en ese momento le gustaría que mamá estuviera aquí para no tener que tomar esta decisión tan grande él solo.

En lugar de contestar, dice:

—Con una condición.

—Muy bien. La que quieras.

—Dale esto a Luis —dice, y saca una tarjeta de presentación de la cartera.

—¿Qué es? ¿Una logopeda?

—Trabaja conmigo en la escuela. Los estudiantes la adoran.

—Pero si se la doy a Luis pensará que me estoy burlando de él.

—No, no lo hará.

—Sí, sí lo hará.

Respira profundamente.

—Lina, se nota que Luis es un chico muy listo y merece hablar bien. Tartamudear no es un motivo para avergonzarse. Es un problema que tiene mucha gente y algo que se puede arreglar. Así que dile que llame a mi amiga. Ella hace milagros.

Vuelve a escribir en su computadora como si nuestra conversación hubiera acabado.

—¿Así que lo puedo invitar si le menciono a la logopeda?

—Sí —dice—. Siempre y cuando estén supervisados.

—Después, como si lo hubiera pensado dos veces añade—: Y llévate la llave. A lo mejor estoy ayudando a Irma cuando vuelvas.

Llamo a Luis y a Vanessa. Una hora más tarde estamos en el auto del Sr. Cantu.

Puede que nunca nieve en Corpus, pero la brisa del mar es muy fría. Por eso llevo jeans, botas y una sudadera con capucha.

—Qué bufanda más genial —me dice Carlos al verme.

En el cuello llevo mis medias más coloridas que saqué de la gaveta de medias solitarias. Las corté para hacer cuadrados y los cosí para hacer una bufanda. Es muy calentita.

—Te puedo enseñar a hacer una —digo—. Todo lo que necesitas son unas medias viejas que ya no uses.

—No creo que te gusten mis medias viejas —dice Carlos.

—¿Por qué no? Las medias viejas tienen personalidad. No las puedes botar.

—Las medias de los chicos son muy distintas a las de las chicas.

—¿Y eso?

—No son tan coloridas —dice.

—Entonces haremos una bufanda blanca.

—No creo que quiera ponerme mis medias viejas alrededor del cuello.

—¿Por qué no?

—Porque... —Carlos se mira los pies como si buscara una respuesta—. Porque apestan un poco —dice por fin.

Todos nos reímos, y a Carlos se le pone la cara más colorada que la pluma de corregir de la Sra. Huerta.

Todos estamos muy abrigados, excepto la novia del Sr. Cantu. Vanessa tenía razón, es una Windsor. Lleva un traje de baño color turquesa y un pareo de flores atado a la cintura. También lleva aretes color turquesa y el cabello recogido en un moño con una flor muy bien puesta en la oreja. Una flor de verdad, que le da un aspecto de lo más hawaiano.

Baja la visera del auto para retocar su maquillaje en el espejo. Pero al cabo de unos minutos vuelve a mirarse y arreglarse.

—¿Realmente crees que te ha cambiado la cara desde la última vez que te miraste? —dice Vanessa.

—Pórtate bien —dice su papá— o esta excursión se acaba ahora mismo.

Vanessa se acomoda en el asiento y suelta un suspiro de resignación.

La novia no dice ni una palabra, pero quita la música que Vanessa había puesto en el auto. Ahora estamos escuchando a no sé qué predicador en una estación de AM. Una venganza a sangre fría. Con razón la odia Vanessa. Mi amiga cruza los brazos y se queda mirando fijamente a la parte de atrás de la cabeza de la novia de su papá con una mirada que rompería un cristal antibalas.

En busca de conversación, me volteo hacia Carlos y Luis que están en el asiento de atrás, pero están hablando en un dialecto desconocido que es solo para chicos. Simplemente oigo palabras que no logro identificar.

Por fin llegamos a la playa. El Sr. Cantu encuentra un buen sitio y estaciona el auto. Sopla un viento feroz, pero eso no impide que su novia saque una sombrilla del auto, que en cuanto abre sale volando.

—¡Walter! ¡Walter! —grita.

El papá de Vanessa sale corriendo detrás de la sombrilla y, en ese momento, me doy cuenta de que lleva un modelito que parece que va a jugar golf: un polo amarillo y pantalones color verde lima.

—No lo puedo creer —dice Vanessa—. ¡Mi papá es tan cliché!

—¿Qué quieres decir? —pregunta Carlos.

—Tiene casi cuarenta años y su novia solo veinticinco.

—No puede tener veinticinco —digo.

—Sí los tiene. Registré en su cartera y vi su documentación. ¡Cumplió veinticinco hace dos meses! Mi papá está en plena crisis de los cuarenta. Me sorprende que todavía no maneje un convertible y que no se haya hecho aún una liposucción. Me sorprende que...

No puedo oír lo que sigue diciendo del ataque de risa que me entra. Carlos y Luis también se están riendo. Vanessa se detiene a media frase y también se empieza a reír.

—Es tan ridículo —dice entre risas—. ¿Qué es lo que solía decir tu mamá cuando un artista de cine se casaba con una mujer más joven?

—Para el gato viejo, ratón tierno.

—Eso es. Eso es lo que pienso cada vez que veo a mi papá con su novia.

Pobre Vanessa. Su papá tiene una novia joven y un vestuario completamente nuevo mientras que su mamá no tiene más que la tele, sus camisetas gigantes y los cascarones.

—Por lo menos tu mamá tiene al Zorro Plateado para animarla —digo.

—¿Quién es el Zorro Plateado? —preguntan los chicos.

—Es el admirador secreto de mi mamá —dice Vanessa—. Ha estado recibiendo cartas de amor escritas por él.

Nos reímos, y cuando los chicos no miran, nos guiñamos el ojo porque prometimos mantener en secreto nuestra artimaña de las cartas de amor.

Cuando el Sr. Cantu y su novia regresan con la sombrilla, Vanessa y Carlos agarran la cámara y se van hacia las dunas. Por fin me quedo a solas con Luis.

La mayoría de la gente piensa que Luis no es muy atractivo, pero para mí es el cabezahuevo más apuesto de

Corpus Christi. Ha dedicado mucho tiempo a pensar en su proyecto. Como sabía que iba a haber viento, en lugar de traer papel trajo dos pizarrones blancos y marcadores. En el mío escribe "plástico", "metal" y "cristal". En el suyo escribe "papel", "alquitrán" y "otros".

—V-vamos a caminar durante una milla por la playa y anotar cada basura que vemos —explica.

—¿Cómo sabremos que recorrimos una milla?

—Tengo un p-p-pedómetro —dice, y me lo muestra—. Lo programé para que mida mis pasos y comprobé en la pista de atletismo que funciona bien.

Empezamos a caminar. No es la escena romántica con la que he estado soñando. No parecemos ni actuamos como una parejita de enamorados en un anuncio de perfume. No, nos dedicamos a trabajar. Cuando solo llevamos recorridos diez pies, me doy cuenta de lo sucia que es la gente. Vemos las típicas latas de refresco y bolsas de papas fritas, además de otras cosas raras como un ukelele roto y una marioneta que debió haber sido Big Bird. ¿Quién se hubiera imaginado que la basura podría resultar tan interesante? Sobre todo teniendo en cuenta que hay cubos de basura y carteles por todas partes que dicen NO MANCHES A TEXAS. Entonces, ¿por qué la gente tira las cosas al suelo? ¿Qué va a pasar con la naturaleza? Seguro que las tortugas y los pájaros se cortan con el cristal o se quedan enganchados en los hilos de pescar.

La cabeza me da vueltas con todo tipo de preguntas. Así que cuando Luis me dice que ya recorrimos una milla, me sorprende.

—Pasó volando —digo.

Él mira su reloj de sol.

—Tardamos media hora.

Guarda todas sus herramientas en la mochila y regresamos. A mitad de camino vemos un tronco.

—¿Q-q-quieres descansar? —pregunta.

—Muy bien —digo.

Nos sentamos en el tronco como si fuera un banco y nos quedamos mirando al mar.

—A mi papá le caes muy bien —digo. Después, tal y como había prometido, le doy la tarjeta a Luis—. Quiere que la llames.

—¿Una l-l-logopeda?

—Sí.

No contesta.

—No estoy diciendo que necesitas llamarla —explico.

—Lo sé.

—A mí no me importa cómo hablas.

—Lo sé.

—¿De verdad?

—Sí.

Me cree, ¿y por qué no iba a creerme? Es verdad. Pienso en la película *Rudolf, el reno con la nariz roja* y la escena en la que sale un elfo que quiere dedicarse a arreglar dientes en lugar de juguetes. A Rudolf no le molesta, y al elfo tampoco le importa que la nariz de Rudolf brille en la oscuridad. Así que si a Luis no le importan mis piernas largas y flacas, a mí tampoco me molesta cómo él habla.

Dibuja un corazón en la arena y escribe nuestros nombres dentro. Después me agarra la mano. Pensé que estar agarrados de la mano sería fácil, pero no estoy segura de si mi codo debería estar por delante o por detrás del suyo, ni si deberíamos entrecruzar los dedos. Nos reímos porque parece que estamos jugando a un juego de manos. Cuando por fin conseguimos aclararnos con el asunto de las manos, nos quedamos callados. No decimos ni una palabra ni nos miramos.

En ese momento me olvido de la basura de la playa y veo dos pelícanos que pasan volando. Parecen dinosaurios. También oigo las olas. Las escucho romper. Parece como si se atascaran en una sílaba y repitieran continuamente *ssssT, ssssT, ssssT*. Me doy cuenta de que el mar también tartamudea. Disfruto del sonido del mar de la misma manera que disfruto los descansos en los partidos de fútbol porque hacen que el momento dure más, porque mientras espero a que empiece el segundo tiempo, me pregunto cómo acabará el partido y, en este caso, cómo acabará la palabra del mar, *ssssT, ssssT, ssssT*, tormenta, torbellino, todo.

Cuando llegamos al auto, el papá de Vanessa y su novia están sentados dentro. Ella lleva el pareo encima de los hombros. Está temblando, pero eso no le impide disfrutar de un refresco helado.

—Hay cosas de comer en la neverita —dice el Sr. Cantu.

Luis y yo nos lanzamos. Después de devorar una caja de palomitas de maíz, una bolsa de tortillas, una naranja, unas cuantas sardinas y una lata de soda, el Sr. Cantu me pide que vaya a las dunas a buscar a Vanessa. Así que me voy sola porque los lentes de Luis están demasiado sucios del vapor de agua de mar.

Busco la duna más alta y subo, hundiendo los pies en la suave arena. Una vez arriba, veo que la línea de las dunas forma una especie de muro entre la costa y los pastizales que hay al otro lado. Disfruto de la escena, y busco a Vanessa y a Carlos. No los veo, pero sí sus huellas.

Sigo las huellas, hundiendo de nuevo los pies en la arena. Cuanto más alto subo, más ruido y más frío hace. Por fin llego a lo alto de la duna y ahí están Vanessa y Carlos.

Ellos no me ven. Pero no me verían ni aunque les halara el cabello. Así de concentrados están. Están agarrados de la mano como estábamos Luis y yo, pero sentados mucho más cerca el uno del otro. Y, entonces, Carlos se acerca y besa a Vanessa en los labios. El beso no es largo ni intenso, es solo un besito, ¡pero en los labios!

No quiero que me sorprendan mirándolos, así que me escondo en el hueco que hay entre las dunas.

No lo puedo evitar, estoy celosa. Si me dejo llevar por los celos, estaría dando una pataleta encima de la duna y enterrando ese momento romántico con una avalancha de arena.

Me digo a mí misma que no hay motivo para estar celosa. Pero seamos sinceros. ¡Lo estoy! ¿Y mi momento especial? Estar agarrados de la mano no se compara con un beso.

Pero esa no es la verdadera razón por la que estoy celosa. La verdadera razón está en nuestros álbumes de fotos de cuando éramos bebés. A Vanessa le salió su primer diente antes que a mí, y dijo la primera palabra y dio su primer paso antes que yo. ¡Pues sí! A la hora de crecer, me gana en todo. En los últimos años, se compró su primer sujetador, tuvo su primer periodo y ahora le han dado su primer beso mientras a mí me salía el primer grano.

Decido llamarlos.

—¡Vanessa! ¡Carlos!

Unos segundos más tarde se asoman por la duna.

—Ahí están —digo—. Tu papá está listo para marcharse.

Dejamos a Luis en su casa y después nos dirigimos a la de Carlos.

—¿Todavía nos vamos a ver mañana a las doce? —le pregunta Carlos a Vanessa.

—Si a mi papá le parece bien.

—Está bien —dice el Sr. Cantu.

—¿De qué hablan? —pregunto.

—Carlos y yo vamos a ir a Target a comprar unas cosas para nuestro proyecto.

—Ah, perfecto —digo—. Yo tengo que comprar unas películas y una cartulina.

—¿Eso quiere decir que quieres venir? —pregunta Vanessa mirando a Carlos—. Porque en realidad no vamos a ir de compras. Es parte de la tarea. Ya sabes, para la clase de ciencias.

No puedo creer lo que estoy oyendo. Vanessa y yo siempre vamos juntas a Target.

—A lo mejor tú y yo podemos ir el fin de semana siguiente —dice Vanessa.

—Muy bien —digo.

Intento hacer como que no me importa, pero sí me importa. Cuando su papá me deja en casa, digo adiós y hago como si todo estuviera bien, solo que me siento como uno de esos programas de la tele que cancelan para poner otro mejor.

15

A comer quiche

El año pasado para el Día de Acción de Gracias, mi papá y yo calentamos unos pasteles de pavo en el microondas. Comimos solos aunque Vanessa y su mamá nos habían invitado a su casa. Deberíamos haber ido con ellas, pero era nuestro primer Día de Acción de Gracias sin mamá, y mi papá y yo sabíamos que no íbamos a poder divertirnos. Todavía echo de menos el relleno del pavo de mamá con apio y hongos. Pero si me viera triste se enojaría. Ella decía que la vida es demasiado corta para tanta tristeza. Así que este año aceptamos la invitación de la Sra. Cantu.

—Supongo que querrá agradecerme todo lo que la he ayudado últimamente —dice papá.

Habla sobre todos los encargos que ha estado haciendo para ella. Desde que la Sra. Cantu se rompió la pierna, mi papá nos ha estado llevando y recogiendo de la escuela, ha ido al supermercado y al correo. Incluso entregó algunos de sus productos de Avon. Y, ahora, cada vez que mi papá cocina huevos, guarda las cáscaras para llevárselas a la Sra. Cantu.

Cruzamos la calle para ir a casa de Vanessa alrededor de las tres de la tarde.

—Entren, entren —dice la Sra. Cantu.

Lleva unas muletas, pero aun así consigue recibirme con un abrazo aplastante, de esos que hacen que me tenga que agachar mientras ella me da palmaditas en la cabeza y dice "pobrecita" una y otra vez. Hoy, en su camiseta grande lleva un cuerno de la abundancia con frutas brillantes.

La Sra. Cantu decoró la mesa con velas, flores y su mejor vajilla y cubertería, lo que me sorprende porque ella suele ser de las que usan platos de cartón hasta para las ocasiones especiales. No soporta lavar los platos.

—Ustedes dos siéntense —dice—. Pónganse cómodos.

—A lo mejor deberíamos ayudarte —sugiere mi papá.

—No, no. Nosotras dos nos arreglamos.

Cuando se va, mi papá me susurra:

—Ve a ayudarlas de todas formas.

Asiento, contenta de tener algo que hacer. Voy a la cocina donde está Vanessa sacando un plato con una torta del horno.

—No puedo creer lo que vamos a comer.

—¿Qué tiene de malo la comida?

La Sra. Cantu la interrumpe antes de que Vanessa pueda explicarlo.

—Muy bien, chicas, lleven las cosas a la mesa —dice.

Llevamos al comedor el puré de papas, los boniatos, la cazuela de ejotes, los arándanos y las galletitas. Vanessa me sigue con la torta. Después llega la Sra. Cantu con unos fósforos y enciende las velas.

—Bueno, eso es todo —dice—. Espero que tengan mucho apetito.

—Tiene un aspecto… ummm… diferente a lo que me esperaba —dice mi papá.

Realmente parece diferente porque falta un detalle fundamental.

—¿Dónde está el pavo? —pregunto.

—Aquí mismo —dice la Sra. Cantu señalando la torta.

—¿Eso es pavo?

—Es quiche de pavo.

—Eso es lo que te intentaba explicar —dice Vanessa—. Todo el mundo va a tener un Día de Acción de Gracias normal y corriente menos nosotros.

—Bien —explica la Sra. Cantu—, es imposible que entre cuatro personas nos comamos veinte libras de pavo. Además, el quiche es una buena manera de añadir huevos al menú.

—¡Pero estoy harta de huevos, mamá!

Esta vez tengo que ponerme del lado de Vanessa. Me gusta probar cosas raras, pero no en el Día de Acción de Gracias. ¿No podía haber cocinado quiche otro día?

Cuando nos sentamos, nos tomamos las manos para rezar.

—Gracias, Señor —dice la Sra. Cantu.

Luego comenzamos a comer.

Mi papá no prueba el quiche inmediatamente porque no le gusta probar cosas nuevas, sobre todo si es comida. Pero al cabo de un rato, da un bocado y después otro, y después repite.

—Esto está delicioso —dice.

Y tiene razón. Todo está delicioso, hasta el quiche, aunque parezca mentira.

—Barriga llena, corazón contento, ¿verdad? —dice al poco rato mi papá.

—Muy contento —decimos todos.

—Tengo algo más que los hará sonreír. —La Sra. Cantu va a su habitación y vuelve con un DVD—. Aquí tienes un pequeño regalo de Acción de Gracias —le dice a Vanessa—. Es la primera temporada de *Betty la fea*. ¿La quieren ver?

—¿Que si la quiero ver? ¿Qué tipo de pregunta es esa?

Vanessa abraza y besa y a su mamá.

—Con mucho cuidado —dice la Sra. Cantu—. Tengo la pierna fracturada, ¿recuerdas?

Abro los ojos como platos porque a Vanessa y a mí nos fascina esa serie.

—La pueden ir a ver a tu cuarto si quieren —dice la Sra. Cantu.

Vamos al cuarto de Vanessa, me dejo caer en mi almohadón de bolitas azules y espero a que Vanessa ponga el DVD. Pero no lo hace inmediatamente.

—Tengo que mostrarte algo —dice. Busca en una gaveta y saca una bolsa de Target—. ¿Te acuerdas de cuando fui a Target con Carlos el fin de semana pasado?

Asiento. Llevaba días queriendo preguntarle por su "cita", pero ha estado muy atareada con el fútbol después de la escuela y por las mañanas nos ha estado llevando mi papá a la escuela. Así que esta es la primera vez que tenemos algo de privacidad.

—Cuando Carlos y yo terminamos de comprar todo lo que necesitábamos para el proyecto —explica—, decidimos dar un paseo por la tienda, y encontré esto.

Abre la bolsa y me da un marco.

—¡Es el Zorro Plateado! —digo.

—No, es un modelo. ¿No ves el $2.99 en la esquina?

Miro y, efectivamente, ahí está el $2.99 en grande y amarillo.

—Por eso la foto parecía que estaba cortada —digo.

—El Zorro Plateado es un farsante —exclama Vanessa—. ¡Un mentiroso! Seguro que el tipo en realidad es demasiado feo y por eso tuvo que poner una foto falsa.

Sé que está enojada, pero no puedo evitar reírme.

—¿Qué te da tanta gracia? —dice.

—Estás enojada con un tipo que es falso cuando tú has estado haciendo algo que también es falso. Además, él ni siquiera sabe que tu mamá existe.

—Supongo que tienes razón —dice Vanessa tirándose en el otro almohadón—. Por lo menos aquí las cosas están mejorando. Mi mamá ha estado de lo más tierna desde que comenzó a recibir esas cartas. Un día se puso ropa normal y cocinó comida normal. Incluso dejó de hablar de mi papá.

—¿Así que las cartas del admirador secreto están funcionando?

—De momento, sí —dice.

Vanessa pone el DVD de *Betty la fea* en el reproductor. Pero entre la cena de Acción de Gracias y el sol que entra por la ventana, nos quedamos dormidas. No abrimos los ojos hasta que aparecen los créditos.

Afuera está oscuro y cuando vamos al comedor, allí también está oscuro salvo por la luz de las dos velas y el resplandor que sale de la cocina. Hay una botella vacía de vino en la mesa, una segunda botella a medio terminar y se oye un sonido muy raro que sale del equipo de música.

—¿Qué están escuchando? —pregunta Vanessa.

—Eso es lo que llevo preguntándome toda la noche —dice mi papá.

—Es un digeridu —explica la Sra. Cantu.

—¿Un qué? —preguntamos todos.

—Una trompeta larga de bambú que hacen los aborígenes australianos —dice la Sra. Cantu.

Ni siquiera sabemos lo que son los aborígenes.

—Yo quería escuchar música de piano —dice mi papá.

—A todo el mundo le gusta la música de piano, Homero. Tienes que ser más aventurero. Tienes que probar cosas nuevas de vez en cuando.

—Supongo que tienes razón —le dice mi papá a la Sra. Cantu. Después se dirige a mí—: Vamos, Lina. Es hora de volver a casa.

—No te olvides de tu regalito —dice la Sra. Cantu, y le da algo a mi papá.

—¿Qué es eso? —pregunta Vanessa.

—¿Esto? —Mi papá nos lo enseña—. Tu mamá me regaló un CD de música nativa americana.

—Hacen unos sonidos increíbles con huesos de animales.

—Ya puedo oír al coyote —dice papá.

—O al zorro —añade la Sra. Cantu—. Al zorro plateado.

¿He oído correctamente? A lo mejor estoy equivocada, pero el estómago me empieza a dar vueltas. ¡La Sra. Cantu piensa que mi papá es el que le ha escrito esos poemas!

Me muerdo el labio y se me tensan todos los músculos del cuerpo. Ningún cascarón sobreviviría a mi puño cerrado. No puedo creer lo que estoy viendo. La Sra. Cantu le guiña un ojo a mi papá y a Vanessa con una gran sonrisa.

16

Huevos raptados

A la mañana siguiente, mi papá, Vanessa y yo vamos al Parque Natural Aransas Pass. Hace un día nublado, de esos en los que sopla un aire frío como para ponerse sudadera, pero no abrigo. Espero que no llueva.

En la entrada del parque hay un centro para visitantes y una tienda de regalos. Compro un imán para la nevera con la foto de una grulla blanca y un marcalibros con un gato montés.

Después vamos a la torre de observación y subimos hasta arriba, donde hay unos telescopios montados en unos postes.

—Cuando nacen —dice el guardaparques—, las grullas blancas son de color rojizo anaranjado, pero al crecer se vuelven blancas, con las puntas de las alas y la cola negras y unas "gorras" rojas en la cabeza. Siempre tienen dos polluelos, pero ignoran al más débil. Así que los científicos raptan uno de los huevos y lo ponen en los nidos de las grullas de la arena, que comen lo mismo. Las grullas de arena cuidan a todos sus pollitos. —Señala al agua—. Ahí están. Encima de ese recodo.

Miro hacia donde indica su dedo y veo dos manchas en el agua. No se pueden ver muy bien porque están muy lejos. Intento usar el telescopio y lo muevo hasta que... ¡allí están! Puedo ver las grullas blancas. Hay dos.

Una de ellas mira fijamente el agua, buscando algo. De pronto, mete el pico en el agua y saca un pez. Su movimiento es muy rápido, como el de un yo-yo. La grulla levanta la cabeza y deja que el pez se deslice por su garganta. Después aletea como si estuviera contenta.

La otra grulla está cerca, muy quieta y alerta como un perro guía.

—¿Y bien? ¿Qué ves? —pregunta Vanessa.

—Una acaba de pescar un pez —respondo.

—¿Sabían que las grullas blancas se quedan con su pareja durante toda la vida? —dice el guardaparques.

No lo sabíamos.

—Ah —dice mi papá—, así que ellas lo entienden. El amor no se altera con sus breves horas y semanas, sino que se mantiene hasta el límite de la fatalidad.

—Eso es muy bonito —dice Vanessa—. Seguro que usted sabe mucho de poemas de amor.

Vanessa me guiña el ojo, pero en lugar de devolverle el guiño, le hago un gesto para que cierre la boca.

Vuelvo a mirar por el telescopio. Después de un rato, las grullas dan unos pasos. Jason tenía razón. Tienen las patas largas, muy largas. Y flacas. Pero de alguna manera consiguen caminar sin tropezarse. De hecho, se mueven con elegancia.

Muy pronto desaparecen detrás del recodo.

—Se han ido —digo.

—Pueden seguir viéndolas si quieren —dice el guardaparques—. Allí hay un camino, pero tienen que ser sigilosos. Si los oyen, saldrán volando.

Señala el camino. Miró a mi papá y él asiente.

Antes de salir, compruebo que la cámara funciona correctamente. Entonces saco mi cuaderno y tres botellas de agua para el camino.

Los árboles a los lados del camino son bajitos. Más bien parecen arbustos que han crecido mucho. Entre ellos hay ramas y hojas que se entrelazan con telarañas y palos. Pero podemos avanzar sin problema. A medida que seguimos el camino, el cielo se empieza a nublar más. Muy pronto se pone totalmente gris.

—Mira —dice Vanessa.

Señala un banco y un cartel que dice VISTA ESCÉNICA. Estamos en una colina no demasiado empinada, pero llena de árboles y arbustos. Debajo está la playa donde las grullas blancas caminan con su paso lento y relajado, como si no tuvieran ninguna preocupación en este mundo. Tomo unas cuantas fotos, pero sé que están demasiado lejos.

—¿Qué ocurre? —pregunta Vanessa cuando ve mi decepción.

—No puedo tomar ninguna foto buena. Están demasiado lejos.

—Eso es fácil de arreglar —dice mi papá.

Se levanta y pasa al lado de un cartel que dice NO SALGA DEL CAMINO.

—¿Qué haces, papá? ¿No ves el cartel?

—Olvídate del cartel. No somos turistas. Somos científicos. Además, en Texas "no traspasar" significa "cuidado con los toros y los cazadores". ¿Ves algún toro o cazador por ahí?

Vanessa también se sale del camino.

—Vamos —dice—. Esto es divertido. Es una locura. Además —susurra—, tu papá es como un zorro plateado, ¿recuerdas? Sabe moverse en la naturaleza.

—No lo llames así —digo.

—Es una broma, Lina. ¿No puedo hacer una broma?

No espera mi respuesta. Ella y mi papá se dirigen a la playa, y no me queda otro remedio que seguirlos. ¿Quién sabe lo que le diría Vanessa a mi papá si no estoy cerca?

De alguna manera, Vanessa y yo adelantamos a mi papá. Caminamos en silencio, recordando lo que nos dijo el guardaparques de no asustar a los pájaros. Si antes los pájaros estaban muy lejos, ahora es peor porque no puedo ver nada entre los árboles.

Por fin diviso la costa y las grullas a unos quince pies en las aguas poco profundas. Me meto en la playa, pero me quedo cerca de la línea de árboles. Enfoco la cámara, centrando los pájaros en la pantalla. Va a ser la foto perfecta. Ya puedo oír las alabanzas del Sr. Star. Nada de postales. Esto es lo auténtico, digno del *National Geographic*.

Estoy a punto de tomar la foto cuando las grullas salen volando. Disparo la cámara, pero es demasiado tarde.

—Ahora sí que no voy a conseguir ni una foto —digo.

—Seguro que sí —dice mi papá—. Seguiremos a las grullas.

Empieza a avanzar por la costa y, una vez más, Vanessa lo sigue.

—¿Adónde van? —pregunto.

—A buscar esos pájaros —dicen.

Antes de que pueda reaccionar, ya se han alejado.

—Deberíamos volver —digo.

—Tonterías —dice mi papá—. Perro que no camina no encuentra hueso.

Sé que tiene razón, pero me cruzo de brazos y me niego a seguir.

—Además —dice mi papá—, tengo que ser más aventurero, ¿recuerdas?

—¿Qué esperas? —añade Vanessa—. Es tu proyecto, no el nuestro.

Caminamos y caminamos. Muy pronto la costa se vuelve muy rocosa y resbalosa. Nos metemos entre los árboles con la idea de seguir la línea de la costa, pero pronto nos encontramos en el bosque.

—No sabe a dónde vamos —le digo a Vanessa.

—Claro que sí —dice Vanessa—. Es como un zorro siguiendo el rastro de un conejo. Un zorro plateado. ¿A que sí, Sr. Flores?

—Claro, claro —dice mi papá.

Agarro a Vanessa por la manga y la alejo de mi papá.

—Más te vale dejar lo del zorro plateado y esas tonterías de la poesía —digo.

—¿Por qué? ¿Es que no lo entiendes? El Zorro Plateado era mentira, pero tu papá es real. Mi mamá debió de reconocer el papel de las cartas. Creo que estaba con nosotras cuando lo compramos. Y, además, tu papá tiene el pelo plateado y adora la poesía. Es la pareja perfecta, Lina.

—No, no lo es —digo—. ¡No pueden estar juntos!

—¿Por qué no? A mi mamá ya le gusta. Lo sé. Y tu papá es un tipo estupendo. Piénsalo. Si acaban juntos, seremos hermanas.

—¡No van a acabar juntos! —insisto—. Mi papá sigue queriendo a mi mamá y cuando tu mamá se dé cuenta de eso, lo va a odiar.

—¡Eh, chicas! —nos llama mi papá—. Vamos a mantenernos juntos, ¿de acuerdo?

—Claro —dice Vanessa corriendo hacia delante.

No puedo creer que Vanessa quiera emparejar a nuestros padres. Es la idea más tonta del universo. Además, ¿acaso yo no cuento? ¿Es que mis sentimientos no importan? Si le digo que lo deje tranquilo, debería hacerlo porque eso es lo que hacen las íntimas amigas, tener en consideración los sentimientos de sus amigas.

Estoy demasiado enojada para pensar o prestar atención al camino. Pero después de un rato me doy cuenta de que nuestra caminata no nos llevará a ningún lado.

—Muy bien, papá —digo—. ¿Dónde estamos?

Se detiene y se rasca la cabeza.

—Vamos por el camino menos transitado —dice—. Un poquito más.

—¿Un poquito más para qué?

—Para llegar a esa pradera.

Señala hacia delante y veo donde termina el bosque y empieza un pastizal. Vamos en búsqueda de grullas blancas, pero cuando salimos al campo, no se ve nada salvo un molino.

—Muy bien. ¿Dónde está el agua? —pregunto—. A las grullas blancas les gusta el agua.

Mi papá da un giro completo y se encoge de hombros.

—¿Me trajiste hasta aquí para nada? ¿Es que estás loco?

—Déjalo tranquilo —dice Vanessa—. Está haciendo lo que puede.

Suelto un suspiro.

—Supongo que estamos perdidos —digo.

—Aparentemente —contesta mi papá.

—No es el fin del mundo —dice Vanessa.

—Deja de ponerte de su lado, Vanessa. Ahora mismo, esto es entre mi papá y yo. Yo nunca interfiero cuando tú estás enojada con tu mamá, ¿o sí?

—Lo que tú digas —dice, alejándose hasta que encuentra una roca para sentarse.

—Esa no es manera de hablarle a tu amiga —dice papá.

—Pero Vanessa está de tu lado.

—Yo solo quería ayudarte —dice—. Pensé que nos podríamos acercar más a las grullas.

—La única manera de hacer eso es quedándose en el camino.

Mi papá mete la mano en su bolsillo y desdobla un mapa del parque. Nos acercamos hasta donde está Vanessa y los tres estudiamos el mapa, pero es muy poco detallado. No muestra el paisaje ni los molinos, solo la costa, los caminos y las carreteras.

—Nos hemos salido del camino —digo—. ¿Ves cómo el camino da vueltas? No llega hasta aquí, así que no va a haber manera de encontrarlo. No tengo ni idea de dónde estamos.

—Si pudiéramos averiguar dónde está el agua... —dice Vanessa.

—Buena idea. Desde el agua podemos ir hacia el oeste. Así encontraremos el camino y desde ahí podemos ir hacia el norte, donde está la torre de observación.

—Un gran plan —dice mi papá—. ¿Hacia dónde está el oeste?

Miro hacia arriba, pero el sol está tapado por las nubes y no lo puedo ver. El agua está tan lejos que no se puede ver ni oír. Podría estar en cualquier dirección.

—Tenemos que hacer una brújula —digo, medio esperando a que mi papá se ponga en movimiento, pero no hace nada, y entonces recuerdo que solo sabe de libros.

—¿Tienes el imán que compré en el centro de visitantes? —pregunto.

Busca en el bolsillo y me lo da.

—Ahora agarra este gancho —digo sacando el gancho de mis notas—. Frótalo contra el imán unas sesenta veces. Frótalo siempre en la misma dirección, ¿de acuerdo?

Mi papá frota el gancho en el imán mientras yo le quito la tapa al objetivo de la cámara y pongo un poco de agua dentro. Menos mal que no ha sido un día muy caluroso o nos habríamos quedado sin agua. Entonces arranco un trozo de papel de mi cuaderno lo suficientemente pequeño para que quepa dentro de la tapa.

—Aquí tienes —dice mi papa dándome el gancho.

Con mucho cuidado, pongo el gancho encima del papel flotante y tiro del borde hasta que el gancho señala la dirección Norte-Sur.

—¡Funcionó! —digo.

—Déjame ver —dice Vanessa.

—Eres increíble —añade mi papá.

—No estoy segura de cuál es el Norte y cuál es el Sur, pero si vamos en dirección perpendicular al gancho, llegaremos al agua o a la carretera. Entonces nos resultará fácil encontrar el camino al auto.

Volvemos a ponernos en marcha. Al cabo de un rato, mi papá me pregunta.

—¿Dónde aprendiste a hacer una brújula?

—Tú no eres el único que lee. Yo también lo hago, pero leo cosas importantes. No como otros, que tienen la cabeza llena de ideas tontas como conejos que hablan.

Deja pasar un momento y después dice:

—Algún día, Lina, lo entenderás. A lo mejor los poemas y las historias no te pueden enseñar a hacer una brújula, pero te pueden enseñar otras cosas. La sabiduría es lo único que nadie te podrá quitar.

Después de lo que parece un siglo, encontramos la carretera. Nos dirigimos en dirección Norte hacia el auto. Estamos mucho más lejos de lo que pensaba.

—A lo mejor alguien nos recoge —dice Vanessa.

Pero eso no sucede. Es un día feo. Solo unos tontos como nosotros salen a dar un paseo en un día así. Y como si me leyera la mente, el cielo nos manda una gran tormenta.

—¡Mis notas! —digo muerta de pánico cuando empieza a llover.

Meto mis notas debajo de mi suéter con la esperanza de que no se mojen. Cuando por fin llegamos al auto, las notas están destrozadas, tengo las medias empapadas y los zapatos llenos de barro.

—Este viaje ha sido un verdadero desastre. ¿Cómo voy a recordar todo lo que he visto y oído sin mis notas? ¿Cómo se supone que voy a hacer una presentación sin fotos? ¡Ojalá mamá estuviera aquí!

—Lo siento —dice mi papá, poniéndome la mano en el hombro.

Pero estoy demasiado enojada para aceptar sus disculpas, así que me despego un poco, me apoyo en la ventanilla del auto y cierro los ojos. Nadie habla, así que el camino a casa se hace muy largo.

17

Tan cabeza dura como un huevo cocido

Una vez al mes en la escuela nos vestimos de algo muy particular para estimular el espíritu escolar. Para el Día del Color nos vestimos de rojo. Para el Día del Oeste nos ponemos sombreros vaqueros y botas. Para el Día Retro, nos ponemos ropa de nuestros padres. Pero mi favorito es el Día de las Medias Locas. Así que me pongo un par de medias hasta la rodilla con rayas verdes, anaranjadas y amarillas. Me las pongo con sandalias para que se vean todos los dedos porque mis medias son como guantes para los pies.

A todo el mundo le parece que mis medias son geniales.

Hoy, el Sr. Star quiere que le informemos sobre nuestros proyectos. Todos menos yo han hecho excursiones con buenos resultados. Mi visita a Aransas Pass no cuenta porque volví con las manos vacías. Mientras escucho a mis compañeros, de pronto me doy cuenta de que a lo mejor no solo repruebo literatura, sino también ciencias. A este paso, me sacarán del equipo para todo lo que queda del año.

—Carlos y yo tomamos unas fotos muy buenas —le cuenta Vanessa a la clase—. Con primeros planos y todo.

"Desde luego que consiguieron primeros planos", pienso. Sobre todo de sus labios.

—¿Y tú cómo vas, Lina? —pregunta el Sr. Star.

—Este… —digo—. Es que, verá, fui al Parque Natural Aransas Pass con Vanessa y mi papá.

—Fue mi divertido —dice Vanessa.

—Compré un imán —le cuento a la clase—. Después fuimos a la torre de observación y el guardaparques nos contó que las grullas blancas se quedan con la misma pareja durante toda su vida y otras cosas por el estilo. Nos pusimos a mirar a las grullas desde lejos hasta que se metieron detrás de un recodo, así que intentamos seguirlas, pero nos salimos del camino y nos perdimos. No conseguí sacar ni una foto porque las grullas salieron volando. Entonces nos perdimos en medio de un pastizal enorme y tuve que fabricar una brújula ahí mismo. Cuando encontramos el camino, empezó a llover, y todas las notas que había tomado para el proyecto se echaron a perder. Así que en este momento supongo que no tengo nada. Pero no es culpa mía. Es culpa de mi papá. La excursión entera fue un desastre. Si no, pregúntenle a Vanessa.

—¿Funcionó la brújula que fabricaste? —preguntó el Sr. Star.

Cuando asiento, él sonríe orgulloso.

Los adultos a veces se comportan de lo más raro. Le acabo de contar que no tengo nada para mi proyecto, pero en lugar de preocuparse se muestra orgulloso por una brújula que no tiene nada que ver con las grullas blancas.

Después de ciencias, Luis lleva mis libros y me acompaña hasta el cuarto periodo.

—Eh… este… —dice—. Quería contarte algo. Mi p-p-prima va a tener un baile de quinceañera y tengo que ir con otra ch-ch-chica.

No puedo evitar sentirme celosa aunque sé que en la mayoría de las quinceañeras la invitada de honor elige catorce de sus mejores amigas y obliga a sus hermanos y primos a ir con ellas.

—Sé que… t-t-tendré que bailar con esa chica, pero solo una vez, así que si quieres venir, podrás bailar conmigo el resto de la noche.

—¿De verdad? Me parece muy bien —digo, aunque realmente no sé bailar.

Luis sonríe y se mira tímidamente a los pies, lo que no es una buena idea en un pasillo lleno de gente. Y sin darse cuenta, se tropieza con Jason.

—¡Oye! —dice Jason.

—P-p-perdón…

—¿Qué? Destrábate, tonto.

—No lo insultes —digo—. Luis es diez veces más inteligente que tú.

—¿Y cómo lo voy a saber si no sabe hablar? Hasta un cerdo habla mejor que él.

—De eso nada.

—Pues sí... cerdita P-P-Petunia.

—Poner nombretes es lo único que sabes hacer. Pareces un niño de preescolar.

Jason y sus amigos se ríen, aunque no sé por qué.

Luis comienza a alejarse sin decir ni una palabra.

—Oye, espera —digo—. No le hagas caso a Jason. Es un idiota.

—Ya lo sé.

—Entonces, ¿por qué te vas?

—Porque yo me puedo defender solo.

—¿Es por eso que se reían? No puedo creer lo tonta que soy. ¿Me perdonas? —digo, y pongo una carita triste para demostrar cuánto lo siento.

Me sonríe, y después me da un beso en la mejilla. ¡En medio del pasillo! Espero que me dé otro cuando suena el timbre, pero ya es un poco tarde.

—S-s-será mejor que nos demos prisa —dice, y sale corriendo hacia su salón.

Sé que voy a llegar tarde, así que no me apuro y tomo el camino más largo. Nunca antes me había fijado en las acuarelas del pasillo con sus lindas flores y paisajes marinos. Sé que es imposible, pero hasta puedo oler las flores y oír el mar como si los cuadros estuvieran vivos. Si mi papá recitara un poema en ese momento, seguramente lo entendería. Y me doy cuenta de que el mundo entero tiene sentido y que es maravilloso estar viva.

De hecho, podría vivir para siempre con esta alegría si no fuera por la Sra. Huerta.

—Llegas tarde —me dice en cuanto entro.

Me dirijo a mi asiento y ella continúa con su discurso. En cuanto me doy cuenta de que está hablando de Charles Dickens, dejo de prestar atención. La vista por la ventana es mucho más interesante que la cara de la Sra. Huerta. Además, no me importan las historias de mentira. La pasión de mi padre por esas cosas fue lo que arruinó mi excursión al parque. Yo lo que necesito son artículos de periódicos, manuales para la aspiradora, instrucciones de cómo tomar un jarabe para la tos, cualquier cosa antes que leer algo que haya salido de la imaginación de una persona, sobre todo si esa persona está muerta, como es el caso de Charles Dickens.

¿Qué cuándo murió? En el siglo XVIII. Además, ni siquiera vivía en Texas. Lo sé porque leí las primeras páginas de *Una canción de Navidad*, y el lugar que describe está lleno de nieve. ¿Cómo me voy a identificar con él? La única nieve que cae en Corpus son bolitas de poliestireno. Además, en lugar de decir "perdón" o "huy", Dickens dice cosas muy raras como "¡Pardiez!" o "¡Diantres!". Y en lugar de tamales, sus personajes siempre comen bolas de masa hervida en Navidad. ¿Qué demonios es eso? Nadie en Texas come eso.

No pienso perder el tiempo leyendo ese libro. Además, ya he visto la versión para la televisión de ese mismo libro una docena de veces, hasta por Mickey Mouse. El fantasma del presente de la Navidad, el fantasma del pasado de la Navidad, el fantasma del futuro de la Navidad… bla, bla, bla. Si pensaba que era ridículo que los conejos hablaran, ¡imagínate los fantasmas! Por lo menos los conejos existen.

La Sra. Huerta se percata de que estoy soñando despierta.

—¿Entonces qué piensas de Scrooge?

—¿El de Mickey Mouse?

—¿Mickey Mouse? ¿De qué estás hablando?

—No puedo creer que no haya visto la película —digo—. Mickey Mouse sale en *Una canción de Navidad*. También salen el pato Donald y Goofy. Puede ver todo el libro en treinta minutos. Debería verla.

Todo el mundo se ríe menos Vanessa.

—No me gusta nada ese comportamiento insolente —dice la Sra. Huerta.

—Bueno, no puedo ser insolente si no sé ni lo que quiere decir.

—Significa que estás a un paso de que te ponga de castigo y te tengas que quedar después de la escuela.

—¡Pardiez! ¡Diantres! —contesto.

Treinta segundos más tarde, me da un papelito.

—Una palabra más —me advierte—, y te ganas un pasaje a la oficina del director.

No quiero enfrentarme a la directora, la Dra. Rodríguez, así que mantengo la boca cerrada. La Sra. Huerta le hace una pregunta a otro estudiante y sigue con la clase.

Cuando miro a mi alrededor, algunos estudiantes me sonríen como si estuvieran orgullosos de mí, pero Vanessa aparta la mirada, avergonzada. En ese momento me doy cuenta de que estoy recuperando mi estado de Hollywood, pero en lugar de ser una estudiante estelar, soy la payasa de la clase. Mi comportamiento de hoy hace juego con mis medias.

18

Un sándwich de ensalada de huevo

No le quiero contar a mi papá lo sucedido en la clase de la Sra. Huerta, así que miento y le digo que me quedé en la escuela más tiempo para hacer tareas de literatura. Pensé que ganaría puntos por eso, pero me sorprende cuando me dice que no puedo ir a la quinceañera con Luis.

—¿Por qué no? —pregunto—. Soy lo suficiente mayor. El año que viene estaré en octavo grado.

—No al paso que vas. Te van a reprobar literatura, Lina. Y estás mintiendo. No te quedaste en la escuela para estudiar. Te pusieron de castigo. La Sra. Huerta me llamó para contarme cómo te portaste hoy. Me temo que ahora te tengo que castigar yo también.

—Pero si ya estoy castigada sin el fútbol —protesto.

—Pues también te castigo sin los bailes.

—Voy a hacer toda la tarea que tengo atrasada, te lo prometo, papá.

—Del dicho al hecho hay gran trecho. Hay una diferencia muy grande entre lo que dices que vas a hacer y lo que haces. Le prometí a Irma que la ayudaría en la decoración de una boda. Ella no lo puede hacer sola con las muletas.

—Yo no quiero ayudar en esa boda.

—Ya le dije que irías.

—Pero eso no es justo —protesto—. Todos mis amigos se estarán divirtiendo mientras yo tengo que trabajar.

—Recuerda eso la próxima vez que se te ocurra mentir.

No puedo creer que sea tan estricto. Me voy corriendo a mi habitación, doy un portazo, cuelgo una cobija supergruesa de la litera de arriba y me escondo.

A la mañana siguiente, recuerdo que si quiero volver a salir con Luis o jugar fútbol tengo que tomarme en serio la clase de la Sra. Huerta. Así que llego a tiempo y me prometo a mí misma portarme bien.

Afortunadamente la Sra. Huerta me ignora. Supongo que no quiere más incidentes como el del día anterior. Después de comentar un libro durante un buen rato, nos da trabajo. Todos se ponen a trabajar. Incluso yo. Saco una hoja de papel y escribo mi nombre, pero justo cuando estoy a punto de empezar a escribir, la Sra. Huerta me llama.

—Lina, ¿me podrías hacer un encargo?

—Sí —digo.

Cierro el libro y me acerco a su escritorio. Me da un sobre y susurra:

—Lleva esto a la oficina de los consejeros. A lo mejor también deberías llevarte los libros.

Asiento. Agarro mis cosas y me voy a ver a la Srta. Kathryn, la consejera.

—Hola, Lina —me dice cuando toco a la puerta—. Pasa, te estaba esperando.

Señala una silla con un cojín, y me siento obedientemente, aunque me parece una tontería cuando todo lo que tengo que hacer es entregarle un sobre.

La oficina de la Srta. Kathryn es grande, pero está llena de cosas. Tiene unos archivadores en la pared, una pequeña nevera, un escritorio para su computadora, otro escritorio con un teléfono, pilas de papeles y dos sillas cerca de la ventana con una especie de mesita entre ambas.

—Ponte cómoda —dice mientras busca en una gaveta llena de sobres.

—En realidad —digo—, solo estoy aquí para traerle este sobre de la Sra. Huerta.

Se lo ofrezco.

—Cariño, ese sobre está vacío.

—¿Por qué iba a enviar la Sra. Huerta un sobre vacío?

—No quiere avergonzarte delante de todos tus compañeros. Algunas personas son muy sensibles a la hora de ver a la consejera.

—Yo no pedí verla. Creo que me confunde con otra persona. La Sra. Huerta me dijo claramente que le entregara esta carta.

—La puedes abrir si no me crees —dice la Srta. Kathryn.

Siempre me he preguntado qué hay en esos sobres supersecretos, así que lo abro para descubrir que la Srta. Kathryn tenía razón. Está vacío.

Justo entonces, entra la secretaria con dos bolsas de almuerzo de la cafetería. Sin decir una palabra, las pone en la mesa que tengo al lado, sale y cierra la puerta cuidadosamente.

—Aquí está —dice la Srta. Kathryn—. Tu expendiente—. Me enseña un sobre con una etiqueta que dice APOLONIA FLORES. Después abre la nevera y dice—: Tengo agua, jugo, leche y refresco. ¿Qué quieres?

—¿Qué está pasando? —pregunto.

En lugar de contestarme me pasa una lata de refresco, una de esas genéricas con sabor a Coca Cola.

—Pensé que podríamos hablar a la hora del almuerzo —explica—. Creo que has estado pasando una mala temporada últimamente. —Señala la comida—. ¿Atún o ensalada de huevo?

De pronto me imagino camisas de fuerza y cables clavados en mi cerebro.

—¿De verdad que me va a dar una sesión para locos? —digo—. Porque no estoy loca. De acuerdo, estoy reprobando literatura. Eso es todo. Hay mucha gente que reprueba literatura y no tiene que reunirse con la consejera.

La Srta. Kathryn abre tranquilamente su bebida y se acomoda en la silla. Tiene una tablilla sobre las piernas con mi expediente. Es un expediente muy grueso, y me pregunto de dónde habrán salido todas esas notas. ¿Habrán estado grabando mis conversaciones telefónicas? ¿Entrevistando a mis amigos? ¿Usando tecnología de satélites para seguir mis movimientos?

Si tuviera una máquina de hacer agujeros, llenaría de huecos todos los expedientes de la escuela.

La Srta. Kathryn vuelve a señalar la comida. Agarro una bolsa sin mirar la etiqueta. Saco un sándwich y le doy un mordisco. Es de ensalada de huevo, y está muy blando. Más bien asqueroso, así que lo pongo de vuelta en la bolsa. Después abro la bolsa de papitas, pero están rotas. La única cosa que se puede comer es la galleta de avena, si le quitas las uvas pasas.

—Tengo entendido que el año pasado eras una estudiante excelente —dice la Srta. Kathryn—. Pero ahora no vas tan bien en literatura. ¿Cómo te hace sentir eso?

—¿Cómo me hace sentir? ¿Eso es lo mejor que puede preguntar?

Ella escribe en su cuaderno, sin alterarse por mi actitud.

—¿Y tu papá? —pregunta—. ¿Cómo van las cosas con él?

—¿Me puedo ir ya a la cafetería? No me gustan mucho los sándwiches de ensalada de huevo.

—¿No trabaja de maestro de literatura en la Escuela Superior Ray?

—Sí. ¿Y qué?

—Y la Sra. Huerta también es maestra de literatura —continúa—. Me pregunto si eso tendrá algo que ver con lo que está sucediendo.

—Parece que sí, pero no.

¿Qué estoy diciendo? Quiero detenerme, pero no puedo.

—Como en ciencias —explico—. Si no, pregúntele al Sr. Star. Ayer nos preguntó cómo íbamos con nuestros proyectos y yo era la única que no tenía notas ni fotos ni nada. Así que esto no tiene nada que ver con la literatura ni con mi papá. Piénselo. Estoy en la escuela secundaria. Estoy pasando por una mala racha. ¿Acaso no sabe que todos los chicos pasan por una etapa rebelde? Ya se me pasará, Srta. Kathryn. Se me pasará hoy. Se lo prometo. ¿Ya me puedo ir?

—No creo que sea tan simple —dice—. Estuve leyendo la historia que escribiste del conejo.

—¿Qué historia del conejo?

—La de una mamá que se murió y el papá que se perdió.

Abre el sobre y saca mis resúmenes de *La colina de Watership*.

—No sé por qué piensa que estoy escribiendo una historia —explico—. Esas son las tareas de literatura. Estamos leyendo ese libro y tengo que resumir los capítulos.

—Estos no son resúmenes, cariño.

—Ya lo sé. Es solo que… bueno… para ser honesta, no me leí el libro. Así que cuando la Sra. Huerta nos pidió que lo resumiéramos, inventé lo que puse ahí.

—Eso es lo que hacen los escritores —dice la Srta. Kathryn—. Inventan cosas, y casi siempre lo hacen sobre los problemas que enfrentan.

—Yo no estoy enfrentando nada —digo—. Solo estoy un poco rebelde, como le dije antes. Sé que está mal, así que le prometo que haré lo que la Sra. Huerta quiere que haga.

—Bien. Voy a aceptar tu promesa. Pero también quiero que me hagas otra promesa. Quiero que termines esta historia del conejo.

—Pero...

No me deja terminar. Me da mis resúmenes y me muestra la puerta, así que salgo corriendo a la cafetería antes de que termine la hora del almuerzo. Tengo que hablar con Vanessa inmediatamente, pero cuando la veo, está con Carlos. No quiero que todo el mundo se entere de mis problemas, así que disimulo como si todo estuviera bien. Pero todo no está bien. No solo estoy reprobando y me han echado del equipo sino que, por lo visto, también estoy loca.

19

Srta. Humpty Dumpty

Es sábado y Vanessa me llama a eso de las doce.

—¿Quieres ir al cine? —pregunta.

—No puedo —digo—. Me han castigado por la nota de literatura, ¿recuerdas?

—Qué lástima —dice—. Si convenzo a tu papá de que te deje ir, ¿vendrías?

—Claro. Cualquier cosa por salir de la casa.

Colgamos, y dos minutos más tarde suena el timbre de la puerta. Corro a la sala. Mi papá está en su butaca preferida. Hoy tiene la cara metida en un libro llamado *El desconocido*.

—Hola, Sr. Flores —dice Vanessa cuando abro la puerta—. ¿Por qué está ahí sentado cuando hace un día tan lindo afuera? Es como mi mamá. No sale a ningún sitio porque piensa que está rota como Humpty Dumpty. Todo lo que hace es lamentarse.

—¿Lamentarse? —dice mi papá preocupado—. ¿Está todo bien?

—Todo está bien. Solo que está aburrida, ya sabe. Un sábado por delante sin nada que hacer. Claro, no es que pueda manejar por ahí con la pierna rota.

—¿Crees que le gustaría salir? —pregunta mi papá.

—Es mucho mejor que quedarse en casa todo el día.

—A lo mejor tu mamá necesita descansar —digo—. ¿No es la mejor manera de curarse?

—Tienes razón —me dice mi papá.

—No, Sr. Flores. Todo lo que hace es descansar. Se va a deprimir si no sale.

—¿Tú crees? —pregunta mi papá.

—No lo creo, lo sé.

No puedo creer las artimañas de Vanessa para que nuestros padres se vean después de que le he dicho tropecientasmil veces que es una mala idea. Antes de que pueda reaccionar, estamos todos en el auto y, justo cuando nos ponemos el cinturón, Vanessa dice:

—Oye, mamá, ¿no nos podrían dejar a Lina y a mí en el cine mientras se van a dar una vuelta?

—Si a Homero le parece bien —dice la Sra. Cantu.

—Claro, me parece bien —contesta mi papá.

Por supuesto que dice que sí. Si me castigara ahora quedaría como el malo.

—No estoy segura de que quiera ir al cine —digo.

—Tienes que ir —dice Vanessa—. A no ser que a mi mamá le parezca bien que vaya yo sola.

—Ninguna hija mía va a ir sola al cine con todos los locos que andan sueltos. Además, nunca había oído a ninguna niña decir que no quiere ir al cine. ¿Qué te pasa, Lina? ¿Estás enferma?

—No. Es solo que... en fin... que estoy castigada, ¿no, papá?

—¿La has castigado? —dice la Sra. Cantu—. Pero si Lina es un ángel.

Mi papá mueve la cabeza como si estuviera decepcionado.

—Hasta el diablo una vez fue ángel, Irma. Y mi pequeño ángel está reprobando literatura.

—¿Reprobando literatura? ¿Eso es todo? Por lo menos no sale a escondidas con chicos.

—Yo también estoy en la clase de la Sra. Huerta —dice Vanessa—. Es muy aburrida. No me extraña que Lina repruebe. Te apuesto lo que quieras a que si el Sr. Flores fuera nuestro maestro, la literatura sería interesante.

—Eso se lo tendrías que preguntar a mis estudiantes.

—Vamos, Homero —dice la Sra. Cantu—. Deja que Lina vaya al cine.

—¿No deberíamos quedarnos todos juntos? —digo—. Sra. Cantu, a usted no le gusta ir con hombres. No causan más que problemas, ¿recuerda?

—Algunos hombres solo causan problemas, pero otros no. Además, te aburrirías mucho en el bar de karaoke.

—¿Qué bar de karaoke? —pregunta mi papá—. No esperarás que cante delante de desconocidos, ¿verdad?

—Es la una de la tarde. No va a haber nadie. Es como cantar en la ducha.

—Eso suena divertido —digo—. ¿Por qué no vamos todos al karaoke?

—Sr. Flores —dice Vanessa—, por favor, deje que Lina vaya al cine conmigo.

—Ya estoy manejando hacia el cine, ¿no? —dice mi papá.

No puedo creer lo inocente que es. ¿Es que no se da cuenta de que lo están engañando? ¿Pero qué puedo hacer? La única manera de protegerlo de la Sra. Cantu es decir algún chisme de Vanessa, lo que podría terminar con nuestra amistad.

Muy pronto llegamos a Tinseltown, un cine gigante con juegos de video, catorce salas con asientos de estadio, sonido especial y chicos atractivos por todas partes. Hay una docena de películas anunciadas en el tablero y muchos afiches cubriendo las paredes. Tenemos que descartar cuatro películas porque están clasificadas R y otra porque es de muñequitos. Lo último que quiero es sentarme en el cine con una banda de preescolares.

—Voto por la comedia —le digo a Vanessa.

—Voto por la de amor.

—¿Quieres que lancemos una moneda al aire para decidir?

—No, le preguntaremos a Carlos cuando llegue.

—¿Invitaste a Carlos?

Antes de que me conteste, ella lo ve.

—¡Hola, Carlos! —dice, y le hace un gesto para que se acerque—. Lina y yo estábamos intentando decidir qué película queríamos ver. Lina quiere ver la comedia y yo la romántica. ¿Cuál quieres ver tú?

—Uh, la de acción —dice.

—Lo siento, esa no está en el menú. ¿La comedia o la romántica?

Por supuesto, elige la que quiere ver ella. El pobre chico está enamorado. Primero Vanessa manipula a mi papá y luego nos manipula a Carlos ¡y a mí!

—¡Realmente no quiero ver esa película! —digo, convencida de que el haber sido engañada me da derecho a elegir la película que quiero ver.

—Muy bien —dice Vanessa—. Tú puedes ir a ver tu película, Carlos y yo iremos a la mía y nos encontraremos a la salida.

—¿Quieres que vaya sola al cine?

—Técnicamente no estarás sola. Habrá mucha más gente.

¿Es esta la misma chica que vive en la casa de enfrente? ¿Mi amiga "íntima"? No puedo creer que me eche para estar a solas con Carlos. ¿Dónde está la diversión si no puedes hacer comentarios sarcásticos sobre la película o compartir las palomitas? Lo mejor de ir al cine es hablar de la película después. ¿Cómo voy a hablar con Vanessa de una película que no ha visto?

A regañadientes, compro una entrada para la película romántica y comienzo a desempeñar mi papel de acompañante mientras pienso que el que debería ser un extra de Hollywood es Carlos, no yo, ya que yo conozco a Vanessa desde siempre.

Cuando entramos en el cine, Vanessa se sienta entre Carlos y yo y levanta su reposabrazos para estar más cerca de Carlos. Yo podría estar en otra fila o en otro planeta, a ella no le importa. Entre los anuncios que aparecen en la pantalla antes de comenzar la película ponen preguntas sobre cine. Vanessa y Carlos intentan adivinar las respuestas. A mí no me preguntan mi opinión ni una sola vez. No me prestarían atención ni aunque me levantara y cantara el himno nacional.

—Voy a comprar palomitas —digo.

Pero en lugar de ir a comprarlas, voy al baño. A lo mejor si destrozo unas toallas de papel se me pasa la rabia. Pero hasta en eso tengo mala suerte: el baño tiene un secador eléctrico para las manos. Entonces pienso que todo lo que necesito es algo para liberar la tensión, como una pelota de esas que se estrujan. Busco en mi cartera y encuentro una media muy gruesa que perdió su pareja la semana pasada. La hago un rollo y la aprieto con todas mis fuerzas. Esa terapia hace maravillas.

Una vez que me he calmado, compro mis palomitas y vuelvo a la sala decidida a pasarla bien, pero cada vez que Vanessa le susurra algo a Carlos o suelta una risita como un pajarito enamorado, me sube la tensión. Aprieto una y otra vez la media que llevo en la cartera, pero sigo enojada. Cuando termino mi bebida, hago un montón de ruido a propósito.

—Deja de hacer esos ruidos —protesta Vanessa.

—¿Cómo? —me volteo hacia ella y, "accidentalmente", se me caen las palomitas en sus piernas.

—¡Oye, cuidado con lo que haces! —dice recogiendo las palomitas y tirándomelas.

Normalmente a esto lo llamaríamos una pelea entre amigas, pero hoy, no.

Cuando termina la película, salimos y esperamos a que nos vengan a buscar. La hermana mayor de Carlos ya está ahí. Él se mete en el auto y se va, no sin antes voltearse hacia Vanessa y pedirle que lo llame.

Una vez que el auto desaparece, comento:

—No puedo creer que me hayas arrastrado hasta aquí para que fuera tu acompañante.

—¿De qué otra manera podía ir al cine? Sabes que mi mamá no puede manejar y, aunque pudiera, nunca me dejaría venir sola al cine.

—Así que en lugar de contarme tu plan, me usas —digo—. Y también usas a mi papá. Yo no tengo la culpa de que tu mamá no te deje tener novios hasta que no tengas la menopausia.

—Cálmate —dice—. No es para tanto.

—Sí es para tanto. Me engañaste. Y después prácticamente me ignoraste por tres horas. A lo mejor se lo debería contar a tu mamá.

—No, no lo hagas —dice—. Se supone que tienes que guardar mis secretos. Eres mi mejor amiga, ¿recuerdas?

—Yo lo recuerdo, pero obviamente tú no. Mi vida es un caos total y tú ni te has dado cuenta. Estás demasiado ocupada con Carlos.

Antes de poder decir otra palabra, llega mi papá. Lo último que quiero hacer es discutir mis problemas delante de él, así que decido terminar la conversación más tarde.

Cuando llego a casa, recuerdo la promesa que le hice a la Srta. Kathryn. Sigo pensando que es una idea muy tonta, pero a lo mejor sirve de algo. Así que saco una hoja de papel y escribo: "El siguiente capítulo de Hazel y Fiver".

"Fiver no escucha ni media palabra de lo que dice Hazel. Sigue esperando a que sus orejas crezcan después de habérselas cortado con las hélices del gorro, pero aunque tuviera orejas, no escucharía. No le escribe notas a Hazel ni le envía más mensajes telepáticos. Hazel no está seguro de si quiere seguir viajando con Fiver. ¿Para qué? A lo mejor el viaje sería más sencillo si fuera solo".

Huevos de amor

El concierto de Navidad es el viernes antes de las vacaciones. Luis ha estado practicando muchísimo y me ha
preguntado tropecientasmil veces si voy a ir. Mi papá me
ha dado permiso porque es algo de la secuela. Se supone
que tengo que llamarlo cuando termine para que me
venga a recoger.

   Me pongo unos pantalones de terciopelo verde y un
suéter negro de cuello de pico. Para la ocasión, llevo unas
medias de Navidad con flores de Pascua brillantes. Quedan muy bien con mis zapatos de bailarina negros.
Cuando me ve mi papá, sonríe. Entonces corre a su habitación. Después de mucho rebuscar, sale con algo en la
mano.

   —Quiero que tengas esto —dice.

Abre la mano y me muestra el collar favorito de mamá, una cadena de oro de la que cuelga una esmeralda. No puedo hablar. Si lo hago, empezaría a llorar. Me besa en la frente y me pone el collar en el cuello. Es precioso.

Siento una oleada de cariño hacia mi papá. A veces puede ser estricto, tonto o avergonzarme, pero de vez en cuando hace algo perfecto, como darme este collar.

En la escuela todos los eventos tienen lugar en la cafetería, que siempre huele a comida. Para el concierto de Navidad, la clase de arte ha hecho un montón de copitos de nieve que cuelgan del techo. Todos los maestros llevan gorros de Papá Noel y la Dra. Rodríguez se puso el traje con barriga y todo. Los estudiantes a cargo de la tienda muestran sus juguetes de madera pintados con colores brillantes. Me encantan los trenes y los muebles para muñecas.

—¡Oye, Lina!

Goldie me saluda con la mano. Me ha guardado un sitio, así que agarro un programa y me siento a su lado.

—¿Dónde está Vanessa? —pregunta.

—Este fin de semana está con su papá.

Goldie asiente y después abre el programa.

—Mira —dice, señalando la sección del coro y la canción "Blanca Navidad".

No lo puedo creer. Tengo que leerlo dos veces.

—¿Luis va a cantar un solo? —pregunto.

Goldie ve la cara de preocupación que pongo y dice:

—Seguro que lo hace genial.

Algo me dice que está a punto de ocurrir un desastre. Mi papá siempre dice "donde hay gana, hay maña", lo que quiere decir que querer es poder, pero tengo mis dudas. Que Luis cante en el coro es una cosa, pero que haga un solo es algo muy diferente. ¿Es que el director del coro no ha notado que tartamudea? ¿Qué puede ser más cruel que forzar a un estudiante tímido a cantar un solo delante de todo el mundo? Si la gente se ríe de él, sé que me voy a sentir fatal, y él también. Pero a lo mejor me sorprende. A lo mejor no tartamudea. Al fin y al cabo, es la época de los milagros.

No puedo dejar de darle vueltas al programa. Estoy tan nerviosa que lo arrugo todo.

Las luces se apagan y se abre el telón. La orquesta está en el escenario y comienza a tocar villancicos de Navidad, pero suena tan mal que parece que los músicos están afinando los instrumentos. Cualquier cosa sonaría mejor. Me dan pena.

Se cierra el telón y sale un mariachi. ¡Qué diferencia! ¡Son geniales! Tienen trompetas, guitarras, violines y un guitarrón. Llevan pantalones apretados con botonaduras plateadas en las piernas, y no están nada nerviosos. Son profesionales. Cantan "Las mañanitas", "Cielito Lindo" y, como es Navidad, "Noche de Paz".

Cuando termina el mariachi, se vuelve a abrir el telón. La banda ha colocado sus atriles y sus instrumentos y comienza a tocar, y aunque no es tan buena como el mariachi es mejor que la orquesta. Al menos reconozco las canciones sin tener que mirar el programa.

Esta vez, cuando se cierra el telón, sale un grupo de elfos. Son los maestros vestidos de ayudantes de Papá Noel. Inmediatamente comienza a sonar música navideña y los elfos se ponen a bailar. Todos nos partimos de risa. Después se vuelve a abrir el telón. Una luz plateada muy linda ilumina el escenario y se ve el coro. Lo primero que hago es buscar a Luis. Está en un extremo, con los otros chicos. Se ve guapísimo con su esmoquin.

El piano comienza a sonar y el coro empieza a cantar algo que suena a fantasmas y olas y pájaros a la vez. Hay distintas voces y melodías que me toman de sorpresa, y siento que se me pone la carne de gallina. Casi se me olvida el solo de Luis.

Al cabo de un rato, el director del coro mira a Luis, y este se baja de las gradas y se para en medio del escenario. Entonces toma aire con fuerza y empieza. Aunque no lo creas, Luis tiene una voz muy linda. Alguna gente canta con la garganta y otros con el estómago. Bueno, Luis canta con el estómago, lo que quiere decir que su voz es profunda, más profunda que la tristeza o el amor. Digo esto porque es verdad. No tartamudea ni una sola vez. Canta cada sílaba perfectamente, y por un momento nos hace olvidar que estamos en la cafetería de la escuela.

Cuando termina, el público necesita un momento para aterrizar. Entonces, alguien en la parte de atrás aplaude, después aplaude otra persona y otra más, y muy pronto, todo el público está aplaudiendo y dando gritos de admiración.

Todos los que participaron en el concierto se unen al coro en el escenario: la orquesta, los miembros de la banda, el mariachi y los elfos. Cantan contentos "Feliz Navidad". Fin.

Cuando termina el concierto, no llamo a mi papá inmediatamente. Si lo hago, llegaría antes de poder hablar con Luis. Así que espero en el estacionamiento.

Cuando Luis me ve, se acerca y dice:

—Un segundo.

Sale corriendo, habla con una señora y señala en mi dirección. Ella asiente, dice unas palabras y se aleja, llevando del codo a una viejita que lleva un bastón.

—Son mi mamá y mi abuela —explica al volver.

Me aseguro de que su mamá y su abuela no estén mirando y le doy un beso en la mejilla.

—Estuviste genial —digo—. Ojalá lo hubiera grabado para oírte una y otra vez.

Luis sonríe. Después me agarra de la mano y empieza a caminar conmigo hacia mi casa. Hay muchos autos en las calles alrededor de la escuela, pero Casa de Oro está vacía. Cuando llegamos al primer garaje, Luis me lleva a un lado, pero un perro empieza a ladrar. Entonces oímos a un señor decir "¿Quién anda ahí?", y luego oímos el ruido de dos tapas de metal. Corremos hasta el siguiente garaje, pero esta vez se enciende una de esas luces de seguridad. Me siento como una fugitiva a la que sorprende la luz de la policía. Corremos otra vez. Cuando llegamos al tercer garaje, nos estamos riendo.

Pero nos calmamos. Aquí todo está en silencio. Luis se apoya en la pared, me hala hacia él y me besa. No nos portamos precisamente como en una película de Hollywood. Para empezar, los chicos de las películas nunca tienen que mirar hacia arriba para besar a las chicas. Segundo, las parejas en las películas siempre cierran los ojos. Y, tercero, nunca dicen "¡Ay!" cuando se chocan los labios.

Aun así, Luis es delicado, y estoy segura de que será más delicado con un poco de práctica, algo en lo que me encantará ayudarlo.

—Tengo que volver corriendo —dice—. Mi mamá me va a recoger después de dejar a mi abuelita.

—Muy bien —digo. Entonces recuerdo algo—. No tartamudeaste.

Sonríe.

—Estoy mejorando —admite antes de salir corriendo.

Cuando llego a mi casa, todo está muy oscuro. Toco a la puerta, pero nadie contesta.

"Qué raro —pienso—, el auto está en la rampa del garaje. Mi papá debe de estar en casa de Vanessa".

Me acerco sigilosamente por un lado de la casa y camino de puntillas entre los arbustos. Cuando llego a la ventana, me asomo con mucho cuidado. Mi papá y la Sra. Cantu están sentados a la mesa de la cocina haciendo cascarones. En la mesa hay un verdadero desastre. La Sra. Cantu está poniendo confeti en los huevos y mi papá tapa los agujeros con papel.

Mi papá parece… ¿cómo explicarlo? Parece como si se estuviera divirtiendo.

Cuando la Sra. Cantu le pasa un huevo, me viene a la mente algo que aprendí sobre los cascarones. Y es que en China, de donde viene esta tradición, en lugar de confeti, la gente los rellena con perfume. ¡Y se los dan a sus novios! Así que en lugar de una docena de rosas, la gente da una docena de huevos.

Paso por debajo de la ventana, llego a la puerta de la cocina y llamo.

Cuando mi papá abre, le digo una mentira.

—Te llamé —digo—, pero nadie contestó. Así que tuve que volver caminando sola a casa en la oscuridad.

Él hace una mueca, pero no dice nada.

—¡A las chicas las raptan todo el tiempo! —explico.

—Es verdad —añade la Sra. Cantu—. La semana pasada pusieron una película sobre eso en la televisión. Una historia real. Pero no creas todo lo que sale en la tele, Lina. Por cada persona mala, hay cientos de personas buenas.

—¿Por qué no llamaste aquí? —pregunta mi papá.

—Porque no sabía que estabas aquí.

—Bueno, tú estabas en la escuela y Vanessa con su papá, así que Homero y yo decidimos salir a comer algo.

—Me obligó a comer calamares —dice mi papá.

—¿Qué? —digo.

—¿Puedes creer que comí calamares?

Se me hace un nudo en el estómago. Los restaurantes de comida rápida sirven para llenar a la gente, pero los restaurantes serios, sobre todo los que tienen menú de vinos y calamares, son para la gente que necesita hablar. El nudo de mi estómago se hace más grande cuando noto que esta noche la Sra. Cantu no lleva una camiseta grande, sino un suéter ajustado y una falda. Mi papá también va bien vestido. Entonces me doy cuenta de que habían planeado esto. Habían planeado una cita. Ahora sé por qué mi papá me dejó ir al concierto. Quería que no estuviera en casa para poder estar a solas con la Sra. Cantu.

—Mírate la camisa —digo—. Tienes pegamento por todas partes.

—¿Ah, sí? —dice mirando una mancha azul de pegamento.

—Eres un desastre —bromea la Sra. Cantu.

Mi papá se ríe de sí mismo.

—Soy como un niño.

Entonces los dos se ríen. Por lo visto les parece muy gracioso.

—Sí, eres como un niño —grito—. ¿Qué clase de adulto dejaría a su hija caminar sola a casa en la oscuridad con toda esa gente suelta que se dedica a raptar niños? ¿Es que no ves las noticias?

A lo mejor me estoy pasando, pero no lo puedo evitar. Primero, pierdo a Vanessa por cuenta de Carlos. Y ahora siento como si estuviera perdiendo a mi papá por cuenta de la Sra. Cantu. Así que salgo de la casa muy enojada. Me siento en el capó del auto como el día del incidente en el partido de voleibol. Sé que mi papá me va a seguir. Sé que admitirá su error y me pedirá perdón. Y sé que voy a seguir enojada y tan rabiosa como si fuera un *pit bull.*

La mejor palabra es la que no se dice

21

Bailar sobre cáscaras de huevos

Al día siguiente, mi papá insiste en que vaya a ayudar a la Sra. Cantu con la decoración de una boda. Yo no quiero ir. Se supone que esta noche debería ir a la quinceañera con Luis. Trabajar con la Sra. Cantu es obligación de Vanessa, pero este fin de semana está con su papá. Así que me han cargado a mí con sus tareas.

La boda es en el Moravian Hall, un lugar que huele a cigarrillos y cerveza y que tiene en el techo una bola de discoteca. Cuando llegamos, veo al *disc jockey* poniendo los parlantes encima de un escenario que solo mide un pie de alto y a unas chicas con redecillas en el pelo llevando cazuelas de menudo, una sopa tex-mex que se hace con el estómago de la vaca. Cuando miro el pastel, veo la figurita de una chica solitaria encima del mismo, y deduzco que esta gente es demasiado pobre o demasiado tacaña para poner la figurita del novio.

Mi papá trae las cajas, después empieza a rellenar unos pequeños cuencos con cacahuates y mentas. Mientras tanto, yo pongo los manteles en las mesas y una vela encima de un espejo circular que va en el centro de cada mesa. Para la mesa del pastel y la de los regalos tengo que poner manteles con volantes. La Sra. Cantu me enseña a poner los volantes utilizando alfileres de una pulgada de largo que tienen una perla en un extremo. Mientras pongo los volantes, ella le quita el polvo a los arreglos de flores.

—Ahora voy a ayudar a tu papá —dice.

Se acomoda las muletas debajo de los brazos, salta torpemente y, sin querer, tira los alfileres.

—Ay, Lina —dice—. Lo siento. Qué desastre.

—Está bien —digo—. Vaya con mi papá que yo los recojo.

Me pongo en cuatro patas. Qué rollo. Hay alfileres por todo el suelo. Tengo que arrastrarme por debajo de la mesa para recogerlos. Sé que tengo el trasero al aire, pero no me importa hasta que... oigo una voz familiar.

—¿Lina?

En cuanto oigo mi nombre, me meto debajo de la mesa para esconderme, pero no soy lo suficientemente rápida. Una mano levanta el mantel y ahí está... ¡Luis! Llevo mis jeans rotos y una sudadera con manchas de lejía, tenis llenos de polvo rojo de la pista de atletismo y unas medias que saqué de la gaveta de medias celestiales, lo que quiere decir que están muy gastadas, con agujeros y estiradas. Sé que no es el modelito más lindo, pero no quería mancharme mi ropa buena. Qué vergüenza que me vea así y gateando como un bebé.

Luis se ríe.

—¿Q-q-qué estás haciendo aquí?

—Ayudando a la mamá de Vanessa con las decoraciones. ¿Y tú qué haces aquí?

—Mi prima —dice.

En ese momento pienso en la figurita del pastel. Esto no es una boda sino una quinceañera. Mi papá es especialista en entender mal las cosas.

Luis extiende la mano y me ayuda a salir. Tengo el cabello hecho un desastre y las rodillas y los codos llenos de polvo del piso. Mientras que Luis, una vez más, va vestido de esmoquin.

—¿C-c-crees que te puedas quedar?

—¿Con esta pinta?

Luis asiente.

—Pero me veo horrible. Todo el mundo se va a reír de mí.

—¿Y? Por lo menos estarás cómoda.

En eso tiene razón. No tengo que parecerme a Cenicienta cuando va al baile.

—Se lo preguntaré yo mismo a tu papá —dice.

—Pero es que estoy castigada —intento explicarle, pero ya Luis va hacia donde está mi papá.

Me quedo atrás, nerviosa. Mi papá y Luis no paran de hablar. No tenía ni idea de que tuvieran tantas cosas en común. Por fin, mi papá me hace un gesto para que me acerque mientras Luis va a buscar a sus padres y a su abuela.

—Parecen tortolitos enamorados —dicen todos son-
riéndonos y haciéndonos sentir como si fuéramos monos
del zoológico.

A lo mejor mi papá se siente culpable por haberse
olvidado de mí la noche anterior o a lo mejor se le está
pasando lo de mi mala nota en literatura, o a lo mejor no
quiere ser malo, pero por lo que sea, permite que me
quede en el baile. Él y la Sra. Cantu van a ir a comprar
algo de cenar (espero que esta vez sea a un restaurante de
comida rápida) y volver dentro de unas horas para recoger las decoraciones... y, por supuesto, a mí.

Muy pronto el lugar se llena de gente. Hay muchos chicos
y chicas de la escuela, incluyendo a Jason, que va de
acompañante de una de las catorce chicas que hacen de
damas de honor y que se supone representan cada año de
la vida de la quinceañera.

Me siento a la mesa con la familia de Luis para cenar.
No se me ocurre nada que decir y me da la impresión de
que hago mucho ruido al masticar, como si alguien hubiera puesto un pequeño micrófono en mi boca. ¿Cómo
no me voy a sentir incómoda cuando la familia de Luis no
para de sonreírme? Al principio sentí deseos de quedarme
en el baile, pero ahora estoy nerviosa. Haría lo que fuera
por romper el silencio de la mesa mientras todos comen,
pero cuando empiezan a hablar, me doy cuenta de que
necesito un botón de cámara lenta porque la familia de
Luis habla demasiado rápido.

—¿Te gusta la escuela? —preguntan.

—¿Tú también estás planeando tener una quinceañera?

—¿Qué quieres ser cuando seas grande?

—¿Tienes ganas de que lleguen las vacaciones? Nosotros siempre vamos a México. ¿Qué hace tu familia?

—¿Hacen tamales en Navidad?

—¿Te gusta cocinar? Ya sabes lo que dicen, que a los hombres se les conquista por el estómago.

—¡Basta! —dice Luis riéndose—. Se supone que es una c-c-cita, no una entrevista de trabajo.

—Ohhhh, una cita —bromean sus padres.

—Bueno, mijo, disfruta de tu cita —dice su mamá—. Tú haz como si no estuviéramos aquí.

Le guiña un ojo a su esposo y él le devuelve el guiño.

Menos mal que apagan un poco las luces. El *deejay* pone música y los padres de Luis se levantan de la mesa para ir a bailar. Entonces nos quedamos con la abuelita de Luis. Ella me mira a los ojos con una mirada cálida y honesta y me hace sentir como si también fuera mi abuela.

—Debes de ser una chica muy lista para ver lo especial que es mi niño —dice, y le da un pellizco a Luis en la mejilla.

Él le agarra la mano y se la besa.

—Ahora vayan ustedes dos a bailar —añade.

—Yo no sé —dice Luis.

—Yo tampoco —digo.

—¡Esta gente joven! ¡No pueden decir que no pueden hasta que lleven un bastón como el mío! —dice, y nos echa de la mesa.

Nos vamos a una esquina de la sala a observar cómo baila la gente.

—¿Cómo vas a bailar para la presentación de tu prima? —pregunto.

Luis se encoge de hombros. Parece un poco preocupado.

Cuando termina la canción, sus padres nos ven.

—Vamos —dicen—, no se pueden quedar ahí toda la noche.

—Pero... —intenta decir Luis.

—Tonterías —dice el Sr. Mendoza como si Luis hubiera terminado la frase—. Les vamos a enseñar a bailar.

Nos llevan a la parte más vacía de la pista de baile.

—Pongan una mano aquí y la otra aquí —dicen moviéndonos las manos como si fuéramos marionetas—. Ahora escuchen el ritmo.

Escuchamos una canción country.

—¿Va despacio-despacio-rápido-rápido o es un un-dos-tres? —preguntan.

No tengo ni idea de qué están hablando, pero presto atención.

—Va despacio-despacio-rápido-rápido —digo.

—Así es. Ahora miren. Así es como se baila el ritmo tejano en dos pasos.

Nos enseñan a hacerlo mientras Luis y yo los seguimos. No tardo mucho en darme cuenta de que estamos haciendo una T con nuestros pasos. Por supuesto, los padres de Luis lo hacen con mucha más gracia. Sus tes son más redondeadas y suaves mientras que las nuestras son un poco cuadradas. Pero la estoy pasando bien.

Cuando termina la canción, el *deejay* pone música en español.

—Esto es una cumbia —dicen el Sr. y la Sra. Mendoza.

Enseguida nos enseñan a Luis y a mí cómo ponernos uno al lado del otro. Después nos muestran los pasos.

—Paso derecho largo —dicen—. Paso izquierdo corto. Después paso izquierdo largo, paso derecho corto.

Lo intentamos. Es como andar dando saltitos.

—Muevan las caderas. Piensen que son estrellas de cine —dice la Sra. Mendoza.

Lo intentamos, pero es difícil mover las caderas y dar pasos hacia delante al mismo tiempo.

—Muévanse con estilo —nos anima el Sr. Mendoza mientras le da una vuelta a su esposa.

Nosotros también intentamos dar vueltas, pero soy tan alta que prácticamente me tengo que agachar para pasar por debajo del brazo de Luis.

Después de la Macarena, el baile del conejo y unas cuantas canciones más, las luces se encienden.

—Muy bien, necesitamos que todas las damas y sus acompañantes se pongan en una fila porque es la hora de la presentación —anuncia el *deejay* con un redoble de tambores.

Todos se ponen en fila: padres, padrinos y madrinas, abuelos, vecinos importantes y por último las damas y sus acompañantes. El *deejay* pone una pieza de jazz, y a medida que va diciendo los nombres, las damas de honor y sus acompañantes pasan por debajo de un arco con forma de corazón hasta el centro de la pista de baile. Cuando llegan al final, todos aplauden y dan vítores, entonces las parejas se separan y se ponen en fila para esperar a la siguiente pareja.

Cuando Luis pasa por debajo del arco me tengo que reír porque acompaña a una chica que parece que está en la escuela primaria. La mayoría de las parejas no pegan. Más bien se ven muy nerviosas, excepto Jason y su chica. Todo el mundo piensa que él es guapísimo, todos menos yo, claro. Para mí alguien bien parecido tiene la piel oscura, el cabello rizado y usa lentes como Luis. La próxima vez que pida un deseo a una estrella fugaz, pediré que a Jason le salgan granos y pelos en la nariz.

Cuando pasa la última pareja, todos los chicos están en un lado de la sala y las chicas en el otro.

Nunca he querido una quinceañera porque no podría comportarme como una señorita, como la prima de Luis. Lleva un vestido de cuento de hadas con volantes, encajes, lentejuelas, bordados y una corona. A su lado, la reina de Inglaterra parecería una campesina.

—Y ahora presentamos —dice el *deejay* con otro redoble de tambores— ¡a la hermosa y elegante Srta. Oralia Cruz!

Todos nos ponemos de pie para aplaudir. Cuando la Srta. Oralia Cruz llega al centro de la pista, ella y su acompañante se ponen a bailar durante un rato. Todos suspiran y comentan lo linda que es. Entonces, una a una, las parejas que están a los lados también empiezan a bailar.

Eso es todo. En eso consiste la presentación. Las luces se vuelven a apagar y el *deejay* pone música disco. Todos vamos a la pista y saltamos como niños descalzos encima del cemento caliente.

Ahora ya sé qué significa "el tiempo vuela cuando la estás pasando bien". Antes de darme cuenta, el *deejay* anuncia la última canción.

—Fue un placer conocerte —dice la Sra. Mendoza, dándome un abrazo. Después le dice a Luis—: Vamos a llevar a tu abuela al auto. Te esperaremos afuera.

La Sra. Mendoza ayuda a la abuela de Luis a levantarse de la mesa, la sujeta por el codo y, cuando se pierden de vista, Luis me agarra la mano y me lleva a la pista de baile. No sé si la canción va un-dos-tres o despacio-despacio-rápido-rápido. No importa. Nos agarramos el uno al otro y nos dejamos llevar. Yo apoyo la barbilla en su hombro. No me importa si me tengo que agachar. Estoy perdida en el momento, hasta que alguien tropieza con nosotros. Nada más y nada menos que Jason. No nos había molestado en toda la noche. ¿Por qué ahora sí?

—Oye, Luis —dice Jason—, ¿dónde dejaste la escalera?

—¿La escalera?

—Sí, a la que tienes que subirte para besar a tu novia —dice, y se echa a reír.

—S-s-sssss —intenta decir Luis.

—¿Cuánto tardaste en pensar ese insulto tan brillante? —le pregunto a Jason.

Pero él me ignora.

—¿Qué tal es salir con una chica que se comporta como una luchadora enjaulada?

—E-e-es…

—Más interesante que salir con un chico que lleva el cerebro en los calzoncillos como tú, Jason —contesto.

—¿Siempre luchas todas las peleas por tu novio? —pregunta. Luego se voltea hacia Luis y le dice—: ¿Es tu novia o tu guardaespaldas?

De pronto, recuerdo la conversación que tuve con Luis hace unas semanas. Una vez más, no lo dejé hablar, y recién me doy cuenta de que he metido la pata.

—S-s-supongo que quiere ser mi guardaespaldas.

La canción termina y las luces se encienden.

—S-s-se acabó la fiesta —dice Luis, dándose la vuelta para irse.

—Un segundo —digo.

—Olvídalo, Lina. De verdad. Está bien.

Cuando se aleja, estoy demasiado avergonzada para seguirlo. Puedo notar su rabia, aunque intente esconderla.

—Oye, Lina —dice Jason—. Un chico y una chica van a un baile. La chica mete la pata. El chico sale hacia la puerta a cinco metros por segundo. ¿Cuánto tarda en dejar a su novia?

Me quedo callada. Siento que mi voz se ha marchado con Luis y que lo único que puedo hacer es ir al baño a esconderme.

Me quedo en el baño hasta que termina el ruido. Cuando salgo, el *deejay* está recogiendo su equipo, el conserje está barriendo el piso y mi papá y la Sra. Cantu están quitando los manteles de las mesas.

—Ahí estás —dicen.

Les sonrío con debilidad.

—¿Estás bien? —pregunta mi papá.

—Sí.

—Parece que has estado llorando.

—No estaba llorando, papá. Es por el humo de los cigarrillos. Me irrita los ojos.

—Muy bien —dice, aunque sé que no me cree.

Cargamos la camioneta y me siento en la parte de atrás, deseando desaparecer.

Cuando llegamos a casa de la Sra. Cantu, mi papá y yo cargamos el arco que estaba en la pista de baile hasta el garaje.

—Yo me encargo del resto de las cajas —digo.

—¿Tú sola? —pregunta mi papá.

Asiento. Realmente quiero estar sola y sé que descargar cajas me hará sentir mejor.

Al guardar las decoraciones, intento comprender por qué me porté así en el baile. ¿Por qué interrumpí a Luis? De cierta manera soy como una luchadora enjaulada. No soporto cuando alguien se mete con otra persona. Sin pensarlo, me lanzo al rescate. Pero si realmente soy sincera conmigo misma (y eso es difícil de hacer), tengo que admitir que Luis me impacienta un poco. En algún lugar dentro de mí me gustaría que pudiera decir bien las palabras. Me siento fatal al pensar esto porque sé que él no tiene la culpa de tartamudear, como yo no tengo la culpa de ser tan alta.

Eso es lo que estoy pensando cuando entro en la cocina de la Sra. Cantu y me doy cuenta de que ella y mi papá están en la habitación de al lado sosteniendo una conversación seria. No quiero espiarlos. Sin embargo, rápidamente me escondo detrás de la puerta.

—Vamos —dice la Sra. Cantu.

—Irma, he dicho que no y no pienso cambiar de opinión.

—Inténtalo por un mes. Si no funciona, seguro que alguien estará encantado de ocupar tu lugar.

¿De qué están hablando? ¿Estará insinuándose a mi papá? Al fin y al cabo, ella cree que es el Zorro Plateado.

—Ya he hecho suficientes cosas nuevas —dice mi papá—. He vendido Avon y decorado salones de baile. He intentado escuchar música rara, comer calamares y cantar karaoke. ¿Y ahora quieres que haga esto? No puedo aceptar ese tipo de compromiso en estos momentos.

—No es como si fuera para toda la vida —dice—. Además, sé que les encantará.

No, no creo. Por lo menos, a mí no. No me importa lo que piense Vanessa. De ninguna manera pienso dejar que mi papá se enrede con la Sra. Cantu. ¿Es que no lo entiende? Él no ha olvidado a mi mamá. Sé que ya ha pasado un año y medio, pero deberían pasar diez o veinte años antes de que empiece a pensar en otra mujer.

Estoy por chocar "accidentalmente" con la mesa cuando oigo que mi papá dice que está listo para marcharse. Suena enojado e impaciente.

—Solo pruébalo un mes —insiste la Sra. Cantu—. Ya se lo he dicho a nuestros amigos de la escuela y todos piensan que te iría bien. Ya verás.

—¿Se lo dijiste a la gente de la escuela sin consultarme?

—No es para tanto —dice.

—Para mí sí lo es.

—No te enojes, Homero.

—No estoy enojado. Es que... cometí una equivocación. Me dejé llevar.

—Eso es lo que hay que hacer —dice la Sra. Cantu—, dejarse llevar. Ojalá hubiera sabido esto hace un año.

Lo siguiente que oigo es la puerta del frente de la casa que se abre y la Sra. Cantu dando saltos con su pierna buena.

—¿Adónde vas, Homero? Quédate un rato. Vamos a hablarlo.

Pero mi papá se ha ido.

Después de un rato, la Sra. Cantu cierra la puerta. Suspira profundamente y sé que está decepcionada. Lo último que necesito es que me vea en la cocina, así que me escabullo por donde entré. Cuando llego a casa, mi papá está hablando solo y buscando entre los estantes. Saca el libro más grueso y más grande de su biblioteca, algo que le tome muchísimo tiempo leer.

22

Ningún huevo para pintar

Al día siguiente, comienzo a marcar el número de Luis, pero no me atrevo a terminar. Lo intento tres veces más hasta que por fin tengo el valor de dejarlo sonar. No contesta nadie, así que dejo un mensaje y le pido que me llame.

No me puedo concentrar en nada porque no puedo dejar de pensar en lo que sucedió en el baile. Entonces recuerdo los corazones de mi *Anatomía de Gray*. No se parecen a los corazones de San Valentín sino que parecen más bien ciruelas muy grandes con tubos clavados. Los verdaderos corazones tienen agujeros, pero no son por las flechas de Cupido sino por unos tubos grandes por donde pasa la sangre. Los verdaderos corazones son morados y rojizos, como los moretones. Con razón el amor duele tanto.

La única que me puede ayudar es Vanessa. Al fin y al cabo, para eso están las amigas íntimas. Le tengo que contar lo que pasó entre nuestros padres. No puedo mantenerlo en secreto, sobre todo a ella, que ha estado haciendo de Cupido todo este tiempo.

—¿Cuándo vas a volver? —le pregunto cuando contesta el teléfono de su papá.

—Cuando terminen las vacaciones.

—¿Vas a dejar sola a tu mamá durante dos semanas?

—Estará bien. De verdad. Además, se supone que tengo que pasar las vacaciones con mi papá.

—Pero Vanessa, es que necesitamos hablar. Han pasado muchas cosas.

—¿Como qué?

Normalmente le contaría toda la historia, pero no quiero que mi papá me oiga.

—No te lo puedo contar ahora mismo —digo—. Tengo que hablar contigo en persona.

—Entonces tenemos que vernos. Carlos y yo vamos a ir después al centro comercial. ¿Quieres venir? Te prometo que no será como en el cine. Podrás hablar todo lo que quieras. Te lo prometo.

—Estaba esperando que pudiéramos vernos a solas. No quiero que Carlos se entere de mi vida personal.

Vanessa se queda callada al otro lado de la línea y me imagino que está mirando al techo para pensar en un plan. Sé que no quiere perder ni un minuto sin Carlos ya que su papá no se opone a la idea del novio, ¿pero y yo? ¿Acaso no nos vemos siempre durante las vacaciones?

—Bueno, como no hay escuela, tenemos dos semanas enteras —dice por fin—. Le pediré a mi papá que me deje en tu casa y pasaremos todo un día juntas.

Le creo, así que espero que me llame y me diga qué día va a venir. Pero los días pasan y el teléfono no suena y, cuando por fin suena, es un vendedor. Empiezo a llamar a Vanessa, pero nunca está y cuando está, siempre está hablando con Carlos en la otra línea. Paso de tener mis dudas con Luis a tener mis dudas con Vanessa. Para colmo, mi papá ha estado pegado a *La guerra y la paz* toda la semana. Creo que no lo está leyendo de verdad, solo se esconde detrás de las páginas. Son las vacaciones más aburridas del mundo.

—¿Por qué no vamos en auto a ver las luces de Navidad como hacíamos con mamá? —le pregunto.

—Si quieres —dice.

Me le quedo mirando durante un buen rato, pero sigue escondido detrás de su libro. Creo que en realidad no me ha oído. Podría preguntarle si le gustaría chocar el auto y romper los focos y probablemente respondería que sí.

Me gustaría que estuviera mi mamá. A ella le gustaba decorar toda la casa, hasta el baño, donde cambiaba las velas por muñecos de nieve. Busco los muñecos de nieve y los pongo en el baño, pero a mí no me quedan tan bien. Mi mamá horneaba dulces y hacía que la casa oliera a canela, manzanas y vainilla, pero ahora me tengo que conformar con los olores de las velas. A mamá le gustaba hacer adornos de punto de cruz, pero desafortunadamente no le dio tiempo a enseñarme. Entonces, saco uno de la caja de las decoraciones y cuento los puntos porque sé que los contaba, y eso me hace sentir más cerca de ella.

Me siento tan sola sin mi mamá. Sé que mi papá también se siente solo, pero yo estoy aquí. ¿O no? Como los dos la extrañamos, deberíamos ayudarnos el uno al otro. Sin embargo, no hacemos nada para remediarlo.

Ahora entiendo por qué la Sra. Cantu hace tantos cascarones. Es como una terapia, algo que le sirve para entretener la mente cuando le duele mucho pensar.

Como no tengo a nadie con quien hablar ni huevos que pintar, escribo.

"Hazel se ha dedicado a pasear solo. Por fin encuentra el cartel que indica dónde está la madriguera de su papá. MADRIGUERA DEL PAPÁ CONEJO, pone. Hazel da pisotones. Así es como tocan los conejos a la puerta. Está oscuro, pero entra de todas formas y llama a su papá. En el suelo hay barro. Hazel se moja los pies. De vez en cuando le entra un escalofrío por la espalda. Del túnel principal salen dos pequeñas madrigueras, como si fueran habitaciones. Pero están vacías. De pronto Hazel llega a un callejón sin salida. Da media vuelta, pero vuelve a encontrarse con otro callejón sin salida. Entonces se da cuenta de que está perdido. Se siente muy solo. Llama a su papá. Llama a Fiver. Pero nadie contesta".

23

No cuentes los pollitos antes de que salgan del huevo

Vanessa vuelve a su casa la noche antes de empezar de nuevo la escuela. En cuanto pasa revista con su mamá, viene a visitarme. Llevo aguantándome dos semanas, así que cuando la veo decido que voy a hablar más rápido que un vendedor. Pero Vanessa no me deja.

—¿Te gusta? —me pregunta sacando de su bolso un anillo de plata con un corazón.

—Han pasado muchas cosas —intento decir.

—Me lo regaló Carlos. ¿Qué te regaló Luis?

—Nada. Tuvimos una...

—No debería haber sido tan desagradable con la novia de mi papá. Cuando la conoces, es simpática. ¿Quieres saber lo que me dijo?

—Después, antes quiero...

—Me llevó a un spa increíble, Lina. Mira mis pies. —Vanessa se quita las medias y me enseña sus uñas rosadas—. Me hicieron una pedicura. Y después...

—No puedo creer que pasaste un día entero con la novia de tu papá.

—¿Por qué no? Como te dije antes, no está mal para ser una Windsor.

—Pero ¿y yo qué, Vanessa? Se suponía que nos veríamos. Estuve esperando y esperando a que me llamaras. ¿No quieres saber...

—¿Estás celosa de la novia de mi papá? —bromea.

—Sí. Digo, no. ¿Podré decir dos palabras sin que me interrumpas? ¡Sobre todo porque llevo esperando dos semanas para hablar contigo!

—Pero si hemos hablado —dice.

—No de verdad —digo—. ¡Cuando hablamos por teléfono de lo único que hablas es de ti misma o terminas rápidamente la conversación porque te vas al centro comercial con Carlos o a hacer la pedicura con la novia de tu papá! No quiero enojarme, pero no lo puedo evitar.

Vanessa se queda un rato dándole vueltas a su anillo en el dedo.

—Soy una amiga horrible —dice.

—La peor.

Me pone el brazo por encima para consolarme, y entonces nos damos uno de nuestros abrazos para volver a ser amigas. Es difícil seguir enojada cuando alguien te abraza.

Al cabo de un minuto dice:

—Te prometo que mantendré la boca cerrada y prestaré atención. ¿Entonces qué te regaló Luis por Navidad?

—Nada —contesto—. Eso es lo que estaba intentando contarte. Luis y yo peleamos.

—¿Se pelearon? ¿De verdad?

—Intenté pedirle perdón, pero no contestó el teléfono. Dejé varios mensajes, pero nunca me llamó. Así que supongo que se ha terminado.

—¿Luis te ignoró durante dos semanas?

Asiento.

—Espera a que le ponga las manos encima.

Cuando me muestra un puño, no puedo evitar reírme aunque sigo enojada.

—¿Qué es tan gracioso? —pregunta.

—Si te peleas con Luis, entonces te tienes que pelear contigo misma porque tú también me ignoraste por dos semanas.

—Estoy enojada conmigo misma —dice—. Voy a castigarme sin computadora durante dos semanas. En cuanto llegue a casa, pienso cerrar mi portátil y guardarlo en un rincón de mi armario.

—Mejor lo traes aquí —digo—. No vaya a ser que lo uses cuando no te vea.

Levanta la mano izquierda y se la pone en el corazón.

—Lo haré.

—Hay más —le digo—. Luis y yo no somos los únicos que pelearon. Nuestros padres también tuvieron una gorda. Mi papá ha estado ignorando a tu mamá desde entonces.

—¿Qué pasó?

—Lo que te dije, Vanessa. Mi papá no está preparado para tener una relación. No deberíamos haber dejado que tu mamá pensara que era el Zorro Plateado. Ahora ni siquiera son amigos.

—¿Dejaron de ser amigos? Pero si son perfectos el uno para el otro. —Baja la cabeza sin poder creer lo que acabo de decir—. Es mi culpa. Tengo que encontrar la forma de arreglar esto.

Entonces, se pone la mano en la barbilla y mira hacia el techo, pero pasan treinta minutos y no se le ocurre nada. Y como al día siguiente hay escuela, se tiene que ir a su casa.

Me voy a la escuela muy temprano para ver a la Sra. Huerta. A lo mejor no puedo arreglar mi vida personal, pero quizás pueda hacer algo por mis notas.

Pongo una montaña de tareas encima del escritorio de la Sra. Huerta. Ella las mira y sonríe.

—Me alegra ver que por fin muestras interés —dice—. Desgraciadamente es demasiado tarde para el fútbol y a lo mejor también para el baloncesto, pero espero que apruebes a tiempo para la temporada de atletismo.

Eso es lo último que necesito oír. Siento un nudo en la garganta, así que trago con fuerza, esperando hacer desaparecer la tristeza. Pero no funciona. Soy como un jarrón roto que han tratado de pegar, un jarrón incapaz de aguantar el agua sin gotear por mil sitios. Esa soy yo. Puedo tragarme las lágrimas, pero no puedo evitar que me suden las manos y se me quiebre la voz.

—Pensé que si hacía todas mis tareas podría volver a practicar deporte —consigo decir.

—A veces "demasiado tarde" es demasiado tarde —me explica la Sra. Huerta al ver mi decepción—. Es una lección dura de aprender, Lina, pero cada decisión que tomas tiene sus consecuencias. A veces no hay manera de recuperar el tiempo perdido.

Asiento, intentando tomármelo bien, pero por dentro me estoy muriendo. Realmente pensaba que si hacía todas las tareas atrasadas podría volver a practicar deportes. Supongo que por eso los adultos dicen que no hay que contar los pollitos antes de que salgan del huevo.

Cuando dejo a la Sra. Huerta, corro a la oficina de la consejera para darle a la Srta. Kathryn los párrafos de Hazel que escribí durante las vacaciones. Pero esto tampoco parece ser suficiente. La Srta. Kathryn los lee y después me dice que tengo que terminar la historia.

—Pero ya no se me ocurre qué más puede hacer Hazel.

—Ya lo averiguarás —dice, devolviéndome los papeles.

De momento, la mañana va muy mal, y eso que todavía no he visto a Luis. ¿Cómo me voy a enfrentar a él? Obviamente, no quiere hablar conmigo porque nunca me contestó las llamadas. Decido esperar hasta el último minuto antes de ir a la clase de ciencias. El timbre suena en cuanto entro y, por suerte, el Sr. Star empieza inmediatamente. Luis ya está en su mesa y cuando me ve, sonríe y me saluda con la mano. Es un comportamiento muy extraño para un ex novio. No sé qué hacer, así que medio sonrío y le devuelvo el saludo.

Hoy tenemos que presentar los proyectos de biología marina. Vanessa y Carlos deciden presentar los suyos juntos ya que ambos son sobre las dunas. No puedo creer que tuvieran tiempo para tomar fotos y conseguir muestras con todos esos besuqueos en la playa. Su presentación me sorprende. Aprendo que algunas plantas crean dunas. Según Vanessa, la hierba gruesa actúa como una red que atrapa la arena. Cuando la arena tapa la hierba, la hierba tiene que crecer para poder ver la luz del sol, pero eso hace que se acumule más arena. Esto pasa una y otra vez hasta que se forman esas dunas gigantescas.

Para mi presentación preparé un PowerPoint. Le cuento a la clase que las grullas blancas están en peligro de extinción y que hubo un momento en que solo quedaban veintiséis grullas blancas. Eso les llama la atención. Después les cuento que todos los años, las grullas vuelan desde Canadá a Texas y que la envergadura de sus alas puede ser de más de siete pies de largo. ¡Siete pies! Comparadas con los patos o las palomas, las grullas blancas eran un blanco muy fácil para los cazadores. Con razón mataban tantas.

Y, justo en ese momento, se me ocurre que las grullas y yo tenemos mucho en común. Si pudieran hablar, seguro que las grullas blancas y yo podríamos tener una conversación muy seria sobre la gente que se mete con las personas altas. Entonces me viene a la mente un libro que leí sobre unos indios que tenían como guía a espíritus de animales, así que decido que de ahora en adelante las grullas blancas ocuparán un lugar muy especial en mi corazón. De esa forma, la próxima vez que Jason me vea y me diga "cuac cuac", lo pienso tomar como un halago.

Cuando termino mi presentación, le toca a Luis. Pone un caballete y saca unos afiches de atrás del escritorio del Sr. Star. Ha hecho gráficas de barras. Pero en lugar de colorear las barras, utilizó tapas de botellas para representar las botellas de cristal que encontramos, bolsas de basura arrugadas para representar el plástico y latas de refrescos para el aluminio y el metal. Primero nos habla de la basura que hay en la playa y lo perjudicial que es para la naturaleza, después nos explica lo que podemos hacer nosotros para arreglar la situación y luego pasa una hoja para que la gente se apunte de voluntario para limpiar las costas.

Al final de su presentación, dice:

—Me gustaría darles las gracias a Vanessa y a su papá por llevarme a la playa y a Lina por ayudarme a medir la basura.

"¿Por qué me da las gracias si me odia tanto?", pienso.

Su comportamiento me confunde, así que no presto atención a las otras presentaciones, sobre todo cuando me doy cuenta de que Luis está escribiendo algo. ¡Está tomando notas! ¡Como si no hubiera pasado nada! No sé cómo debo sentirme. Nunca antes había tenido un ex novio.

Después de clase, agarro mis libros rápidamente.

—Espera —dice Luis.

—No puedo —digo dando marcha atrás hacia la puerta.

Salgo corriendo, no sin antes oír a Luis que le pregunta a Vanessa por qué corro.

—¿No se pelearon? —pregunta Vanessa.

No me puedo concentrar el resto del día. Me resulta imposible adivinar lo que piensa la gente, y cuando creo que sé lo que piensan, entonces no sé qué pensar yo. Así que estoy muy confundida, y comienzo a comprender por qué mi papá se refugia en los libros. Cuando uno lee, no hace falta adivinar nada porque todo está frente a ti.

Después de la última clase, descubro que Luis me está esperando en mi casillero. Mi estómago empieza a dar vueltas cada vez más rápido a medida que me acerco a él.

—Vanessa dice que estás enojada conmigo.

—¿No eres tú el que está enojado?

—No. ¿Por qué piensas eso?

¿Cómo puede ser tan listo en la escuela y tan torpe conmigo?

—Porque te llamé para pedirte perdón después del baile y nunca me contestaste la llamada.

—Bien —admite—. Estuve enojado durante unos días. Así que ignoré el teléfono.

—¿Por qué no me llamaste cuando se te pasó?

—Porque me fui con mi familia a México.

De pronto recordé que su mamá había comentado lo del viaje durante el baile, y me parece increíble haber olvidado algo tan importante.

—Créeme —continúa—. Quería llamarte desde allí, pero mis papás no me dejaron porque las llamadas internacionales son muy caras. Pero te escribí una carta. ¿No la recibiste?

—No.

—El correo desde México tarda mucho. A lo mejor la recibes esta semana.

De pronto nos sentimos un poco raros.

—¿Así que todo este tiempo seguíamos siendo novios?

Luis se ríe.

—Por supuesto. —Entonces busca en su mochila—. Tengo algo para ti. Un regalo de Navidad. Me pasé horas buscando el regalo perfecto.

Me preparo para recibir el regalo, pero pienso que un novio que lleva un reloj de sol en la muñeca no compra joyas o cosas por el estilo. Por el contrario, le regala a su novia una hermosa media morada con un lazo de color lavanda.

—Media de regalo. ¿Lo entiendes?

Claro que lo entiendo. En lugar de papel, Luis ha usado una media muy linda para envolver el regalo. Desato el lazo, miro dentro y saco una caracola muy grande de color crema con manchas marrones.

—Escucha —dice, poniéndome la caracola en la oreja para que oiga el ruido de las olas y el viento—. ¿Te acuerdas?

Por supuesto que me acuerdo. El sonido me devuelve a la playa cuando nos sentamos en el tronco y escuchamos al mar tartamudear. Entonces me doy cuenta de que hay algo distinto en Luis, ¡que habló en la clase sin tartamudear! Solo en algunos momentos durante su presentación se detuvo y respiró hondo, para después seguir hablando.

—No has tartamudeado —digo.

Se acomoda los lentes y sonríe.

—He estado yendo a esa logopeda que me recomendó tu papá —explica.

Le doy un golpecito en el hombro.

—¿Por qué no me lo dijiste? —pregunto.

—Quería sorprenderte. Quería ver si lo notabas.

—Por supuesto que lo iba a notar. Yo noto todo sobre ti.

—Tu papá también me ayudó a su manera. Cada vez que asistía a mi cita, me enseñaba a decir insultos al estilo de Shakespeare. Me enseñó a decir cosas como gusano vanidoso, barrigón baboso o lagarto verrugoso.

Me parto de la risa.

—Suenas igual que él.

—Tu papá dice que si puedo insultar como Shakespeare, entonces podré decir cosas tan sencillas como "buenos días". Tienes suerte de tener un papá como él.

—¿Tú crees?

—Por supuesto, rana viscosa.

—¿Me acabas de llamar rana viscosa? Esas son palabras peligrosas, babosa apestosa.

—Esa es buena —se ríe Luis—. No sabía que tú también te sabías alguna.

—A lo mejor mi papá nunca me enseñó a batear una pelota de béisbol —explico—, pero sí me enseñó a insultar al estilo de Shakespeare.

Lluvia de confeti

En cuanto veo a mi papá lo abrazo.

—Gracias por enseñarle a Luis a insultar al estilo de Shakespeare.

Él se ríe un poco.

—Funcionan de maravilla, ¿no?

—Desde luego. Hizo toda su presentación sin tartamudear.

Mi papá asiente, orgulloso. Sé que se está imaginando la escena, pero después de un ratito, vuelve a su libro. Ahora lee un libro que se titula *Cien años de soledad*.

Me pregunto si es así como se siente, como si llevara cien años solo.

—Es tu culpa —digo—, lo de sentirte solo por cien años.

Señalo la portada del libro, y él la mira.

—¿Te acuerdas que siempre me dices que las historias son importantes? —digo.

—Sí, lo son.

—Lo sé. No te creía, pero ahora empiezo a comprenderlo.

Me detengo, buscando una manera de explicarme.

—Tengo que hacer una confesión —digo—. Todo este tiempo que has estado leyendo libros, yo he estado escribiendo.

—¿Ah, sí? ¿Sobre qué?

—Sobre la vida. Escribo lo que me pasa por la cabeza. Empecé como si se tratara de una broma, pero después me metí de lleno. Sin darme cuenta, comencé a escribir un viaje épico.

—¿Cómo Luke Skywalker?

—Como el de los conejos de *La colina de Watership*. Algo así. No estoy segura. Aunque aún no he podido escribir el último capítulo —me detengo durante un minuto—. ¿Te gustaría leerlo?

—Por supuesto —dice—. Pásamelo.

Abro la mochila y saco mi versión de las aventuras de Hazel y Fiver. Mi papá se da cuenta de que está en una carpeta de la escuela con el nombre APOLONIA FLORES, pero no me hace ninguna pregunta. Lo abre y empieza a leer. Yo me siento en el sofá y espero, viendo cómo frunce el ceño, se ríe o me mira con cara de preocupación.

Cuando termina, pone la carpeta en la mesa y dice:

—Creo que Hazel tiene que salir de su madriguera y decir algo. —Se echa hacia delante y me agarra la mano—. Algo como que no es justo que hayas tenido que pasar por toda esa tristeza tú sola —dice, y mira hacia abajo avergonzado.

—¿Sabes lo que me gustaría? —digo—. Me gustaría que... que salieras de tu madriguera de conejo, papá, porque ¿cómo se supone que voy a superar yo la tristeza si tú no lo haces? Lo que le pasó a mamá fue horrible, pero... —Me quedo atascada durante un momento, y entonces recuerdo lo que dijo la Sra. Huerta—. Hoy aprendí que no podemos recuperar el tiempo perdido. Una vez que se ha ido, ya está. Ya no podré jugar al fútbol este año y nunca recuperaré mis vacaciones de Navidad por haber estado de mal humor. Muy pronto habrán pasado dos años de que murió mamá. Dos años de mi vida en una madriguera de conejo, y creo que no aguanto más. ¡Y tú tampoco!

Empiezo a llorar. Me siento como una torre de naipes que se derrumba hasta la última carta, la carta con la que le digo a mi papá que lo extraño, que lo necesito. Mi papá me abraza, me mece y me besa en la cabeza. Me siento como un bebé otra vez y me da un poco de vergüenza. Pero también me hace bien que me consuele, y muy pronto estoy cansada de llorar y me siento más tranquila.

Le digo que ya estoy mejor y se va al baño a traer una caja de pañuelos para que me seque la cara. Él también tiene los ojos y las mejillas mojados.

—¿Recuerdas lo que solía decir mamá? —pregunto.

Me dice que sí con la cabeza.

—Después de la lluvia sale el sol.

—Así es —dice—. También solía decir que el árbol se conoce por su fruta. O de tal palo tal astilla. Y esa eres tú, Lina. Tú eres tan lista y tan bella como tu mamá.

Me sonrojo. Yo no pienso que sea lista y bella, pero si mi papá lo dice, debe de ser verdad.

—He sido un mal padre.

—Solo cuando serviste los frijoles de la lata sin calentarlos —bromeo.

Él se ríe y yo también.

—¿Te puedo hacer una pregunta? —digo.

—Sí, cualquier cosa.

—¿Leer todos esos libros te hace sentir mejor?

—No —dice, y me sorprende—. Me ayudan a olvidar algunas cosas durante un rato.

—¿A mamá?

—No. A ella nunca la podré olvidar. —Piensa durante un minuto—. Cuando leo un libro, puedo ser otra persona durante un momento. Y aunque ese personaje esté triste, por lo menos está triste por otros motivos que no son los míos.

—Pero después se termina el libro —digo.

—Así es. Y aquí me quedo una vez más, en esta casa vacía.

—Pero papá, la casa no está vacía. Yo estoy aquí. Y tenemos dos amigas en la casa de enfrente que realmente se preocupan por nosotros. —Me paro para que entienda mejor lo que he dicho—. Sé que tú y la Sra. Cantu discutieron la otra noche.

—¿Lo sabes?

Asiento.

—Tengo que confesar algo. Algo que hicimos Vanessa y yo. Queríamos ayudar a la Sra. Cantu, así que Vanessa pensó que sería una gran idea si...

—¿Estás hablando de esos poemas tontos que escribieron?

—¿Lo sabes?

—Por supuesto. Irma se dio cuenta con el primer poema. Me lo enseñó. Realmente nos hicieron reír con esa historia del Zorro Plateado.

—Es que... —intento explicar— tú y la Sra. Cantu estaban tan tristes que no sabíamos qué hacer. Vanessa y yo queríamos que todo volviera a la normalidad. Sé que hicimos mal en escribir esos poemas, pero a lo mejor la Sra. Cantu tiene razón. A lo mejor ustedes deberían salir durante una temporada.

—¿Salir? ¿De dónde sacaste esa idea?

—De ti y de la Sra. Cantu. ¿No era eso sobre lo que discutían?

Mi papá suelta una carcajada de esas que hacen que se le mueva la barriga.

—¿Entonces de qué hablaban? —pregunto, dándome cuenta de que metí la pata—. ¿Qué querían decir con eso de probar cosas nuevas durante un mes y que a las chicas les gustaría?

—Oh, Lina —apenas consigue decir—. Ella no quiere que yo sea su novio. Quiere que participe en una función de la escuela. Las chicas de las que hablaba son algunas de mis estudiantes.

—¿Por eso la has estado ignorando?

—Irma es la mujer más testaruda del mundo. Ha conseguido que toda la escuela me dé la lata con esto. Ya no puedo dar mis clases en paz. Además, cada vez que estoy con ella, me hace hacer locuras, y a mí lo que me gusta es...

—Leer —termino.

—Exactamente.

—Pero tienes que admitirlo, papá, cuando la Sra. Cantu y tú están juntos, parecen felices.

Se queda callado durante un minuto.

—Tienes razón —dice—. La pasamos muy bien. Pero después me siento culpable porque tu mamá no está presente.

—A ella no le gustaría eso —digo—. No le gustaría que estuvieras solo o enojado durante cien años como la gente de tu libro.

—Tienes razón —dice con los ojos puestos sobre la carpeta donde se encuentra mi historia de Hazel y Fiver—. Supongo que tengo que salir de mi madriguera de conejo, ¿no?

Decidimos ir a visitar a nuestras amigas, así que cruzamos la calle y entramos por la puerta de la casa sin llamar. La Sra. Cantu está en la cocina. El olor a vinagre es muy fuerte y en la mesa hay cuencos con tintes anaranjados, morados y verdes. En cada cuenco hay tres o cuatro cáscaras de huevo en remojo mientras otras se secan encima de unos periódicos. Con la punta de un pomo de pegamento, la Sra. Cantu dibuja rayas en zigzag y rombos en uno de los cascarones terminados, y después lo espolvorea con purpurina. Su cocina es como una fábrica.

—Hola, forastero —dice la Sra. Cantu al ver a mi papá.

—Tengo que decirte algo —dice—. Es que... bueno... quería pedirte disculpas por haberte ignorado las dos últimas semanas. Es que... es que...

—¿Es que qué? —dice la Sra. Cantu impacientemente.

—Es que no puedes aceptar un "no" por respuesta.

Ella se le queda mirando, pensando en lo que acaba de decir. Entonces agarra el cascarón que tiene en la mano y se lo rompe en la cabeza a mi papá, con pegamento, purpurina y todo.

—¿Y esto por qué? —dice mi papá quitándose el confeti y la cáscara de huevo que se le ha quedado enganchada en el cabello.

—Eso es por negarte a participar en la función de la escuela.

—¿Qué está pasando? —pregunta Vanessa al entrar por la puerta de la cocina.

—Tu mamá quiere que mi papá participe en una función.

—¿Desde cuándo?

—Desde que se pelearon, ¿te acuerdas?

—Tú dijiste que se habían peleado porque mi mamá le había lanzado directas a tu papá —dice Vanessa, y agarra un huevo con confeti y amenaza con tirármelo.

—¿Lanzar directas? —dice la Sra. Cantu—. ¿Qué significa eso?

—Lina pensó que querías que yo fuera tu novio —explica mi papá.

—¡Eso es una locura! —dice la Sra. Cantu, y agarra otro huevo—. ¿Qué otros rumores has empezado, señorita?

—No era un rumor —digo, agarrando mi propio cascarón—. Tengo una gran imaginación, eso es todo. Eso es lo que pasa cuando me aburro, cuando mi mejor amiga se pasa todas las vacaciones con su papá, ignorándome.

—No estaba con su papá —dice la Sra. Cantu—. Estaba con la novia de su papá y con Carlos, su novio secreto.

—¡Lina! ¡Se lo dijiste! ¡Eres una chismosa!

Vanessa me rompe un huevo en la cabeza y yo me defiendo rompiéndole otro en la suya.

—¡No soy ninguna chismosa!

—Es verdad —le dice la Sra. Cantu a Vanessa—. Tu papá me lo dijo. Imagínate cómo me sentí cuando empezó a contarme lo bien que la estabas pasando en el spa con esa mujer y lo bueno que es él por dejarte salir con tu novio cuando yo no te dejo.

—No me quedó otro remedio que hacerlo a escondidas —dice Vanessa—. Tú odias a los hombres. —Agarra otro huevo—. Este es por odiar tanto a mi papá.

Se lo rompe en la cabeza a la Sra. Cantu.

—No te enojes conmigo —le dice la Sra. Cantu— fue tu papá el que se portó como un hombre cruel y egoísta…

Justo entonces, la Sra. Cantu recibe un ataque de otro cascarón. Esta vez es de parte de mi papá.

—¿Por qué hiciste eso? —pregunta.

—Porque yo soy un hombre cruel y egoísta.

—Bien hecho, Sr. Flores. Así le da una lección —dice Vanessa riendo.

—Yo ya aprendí mi lección —dice la Sra. Cantu—. Es cierto. El divorcio me hizo odiar a todos los hombres, pero desde el accidente, Homero me ha estado ayudando y también los conserjes de la escuela. Y el cartero me trae las cartas y los periódicos hasta la puerta de la casa para que no tenga que caminar. Algunos hombres son espantosos, pero otros no. —La Sra. Cantu agarra otro huevo—. Ahora es la hora de la venganza —dice—. Por juzgarme.

No sé si la venganza es contra Vanessa, mi papá o contra mí porque de pronto comienza una guerra de cascarones. Yo le rompo cascarones en la cabeza a mi papá, a Vanessa y a la Sra. Cantu, y ellos hacen lo mismo. No nos importa en qué fase de preparación están los cascarones. Agarramos los que están terminados y los que están a medio terminar; los que están rellenos de confeti y los que están vacíos. La Sra. Cantu no para de pelear a pesar de tener el yeso en la pierna. Corremos por toda la cocina, tropezándonos con las cosas y, muy pronto, el aire se llena de confeti de colores que parecen fuegos artificiales sin sonido.

Y durante todo ese tiempo no paramos de acusarnos unos a otros.

—¡Destrozaste mi proyecto de las grullas blancas!

—¡Sacaste mala nota en literatura!

—¡No me dejas tener novio!

—¡Tienes novio a mis espaldas!

Seguimos así sin parar hasta que mi papá agarra dos huevos y se los rompe en su propia cabeza. Tiene un aspecto tan gracioso que nos hace reír hasta que se nos saltan las lágrimas, lágrimas de alegría, lágrimas de culpa.

Después se rompe otro huevo y, mientras se quita el confeti, dice:

—Esto es por haber pasado más tiempo con mis libros que con mi hija —entonces, mira a Vanessa y a la Sra. Cantu y añade— y con mis amigas.

Yo sigo su ejemplo.

—Esto es por escribir esos poemas tontos —digo, rompiéndome un cascarón en la cabeza— y por reprobar literatura —rompo el segundo— y por juzgar a los demás y estar enojada todo el tiempo —digo, y sigo rompiendo cascarones.

—Estos —dice la Sra. Cantu con cascarones en las dos manos— son por pensar mal de todos los hombres —dice, y hace un sándwich de cascarones con la cabeza, sin parar de reír.

—Esto es por ignorar a Lina —dice Vanessa—. Y estos por todas las mentiras que le dije a mi mamá. —Rompe uno, dos, tres, cuatro, cinco cascarones—. Es que fueron muchas mentiras —dice, y agarra un nuevo cartón.

—Toma, déjame que te ayude a limpiar tus mentiras —digo.

Y, de repente, una vez más estamos corriendo y rompiéndonos huevos con confeti en la cabeza unos a otros. Pero esta vez la guerra de cascarones se convierte en una celebración de cascarones.

—¡Vamos a romperlos todos! —dice papá.

Y eso es lo que hacemos, rompemos los cascarones con las manos y lanzamos el confeti al aire. Después observamos la lluvia de confeti tan colorida y libre como nuestra propia alegría.

GLOSARIO DE *DICHOS*

Los libros son los mejores amigos.

El gato dormido no caza ratón.

Una buena acción enseña más que mil palabras.

Un amigo es el mejor espejo.

Querer es poder.

Buñolero, ¡haz tus buñuelos!

Quien bien te quiere te hará llorar.

En boca cerrada no entran moscas.

Dime con quién andas y te diré quién eres.

Lo mismo el chile que la aguja, a todos pican igual.

No preguntes lo que no te importa.

Las mentiras no tienen pies.

Camarón que se duerme se lo lleva la corriente.

Después de la lluvia sale el sol.

No tengas como vano el consejo del anciano.

Más vale estar solo que mal acompañado.

Cada cabeza es un mundo.

El silencio es oro.

Para el gato viejo, ratón tierno.

Barriga llena, corazón contento.

Perro que no camina, no encuentra hueso.

La sabiduría es la única cosa que nadie te podrá quitar.

El mal escribano le echa la culpa a la pluma.

Del dicho al hecho hay un gran trecho.

Hasta el diablo una vez fue ángel.

Donde hay gana, hay maña.

La mejor palabra es la que no se dice.

Caras vemos, corazones no sabemos.

Lo que bien se aprende, nunca se olvida.

El árbol se conoce por su fruta.

Agradecimientos

Me gustaría darle las gracias a la Fundación Alfredo Cisneros del Moral por darles a mis colegas escritores y a mí la oportunidad de contar nuestras historias. Un agradecimiento muy especial a Stefanie Von Borstel, Alvina Ling y Connie Hsu por sus maravillosas sugerencias y por luchar para sacar este libro adelante. También, a mis amigos de Daedalus, Irma Ned Bailey, Cindy Leal Massey, Linda Shuler, Bill Stephens y Florence Weinberg, ustedes hacen que siga escribiendo. Por último, gracias a todos aquellos que me han aguantado. A mis amigos Vanessa, Kirk, Rick, Caryl y San Juan; a mi familia: mamá, papá, Albert, Tricia, Steven y mis sobrinos; y Gene, que es familia y amigo.